"Federico...Je suis la sœur d'Aithne!"

"Pourquoi vous êtes-vous mariée avec moi?" questionna Federico.

"Pour vous rendre la monnaie de votre pièce," lança Tara. "Dites-moi, combien voulez-vous? Quel est votre prix pour accepter un divorce?"

"Le divorce est hors de question," répliqua-t-il en martelant ses mots.

"Dans ce cas, une annulation..." suggéra Tara.

"Non plus! On obtient l'annulation d'un mariage seulement s'il n'a pas été consommé, ce qui ne sera pas le cas pour nous. Croyez-moi!"

Tara fut soudainement effrayée par la détermination de Federico.

Ces titres sont disponibles chez votre dépositaire.

Gozo, l'île de demain

Margaret Rome

Harlequin Romantique

PARIS · MONTREAL · NEW YORK · TORONTO

Publié en Mai 1983

ISBN 0-373-41183-9

Dépôt légal 2ᵉ trimestre 1983
Bibliothèque nationale du Québec et Bibliothèque nationale
du Canada.

Imprimé au Québec, Canada—Printed in Canada

— Tara O'Toole, tu es une fille indigne, et je trouve ta conduite scandaleuse ! Si tu persistes dans ce ridicule projet de mariage, je te promets que tu le regretteras jusqu'à ton dernier jour, aussi vrai que je m'appelle Bridget Mc Bride ! Sois raisonnable. Préviens immédiatement ton fiancé et fais annuler la cérémonie. Sinon, il sera trop tard.

L'intéressée esquissa un demi-sourire malicieux.

— Impossible. Je ne saurais résister au plaisir d'humilier le noble baron Federico Cortes au moment précis où il commencera à me passer la bague au doigt... Réfléchis un instant, Bridget. L'église sera pleine de tous les membres les plus éminents de l'aristocratie de Malte. Le scandale sera complet !

Tara éclata de rire et fixa ses prunelles d'un vert profond, pailleté d'or, sur sa vieille gouvernante.

— Je comprends ta suggestion, poursuivit-elle. Mais elle ne me convient pas. Je veux châtier le baron en public, sans aucune pitié. Il ne mérite aucune compassion... As-tu oublié la façon dont il a traité Aithne ? Je ne saurais lui pardonner sa conduite. Mon plan se déroulera jusqu'au bout, comme prévu ! A présent, dis-moi : que penses-tu de ma toilette ?

Elle virevolta devant l'autre en riant à nouveau. Aucun remords ne venait assombrir son visage. Bridget serra les lèvres sans répondre, ses traits exprimant une profonde désapprobation.

— C'est la seule et unique fois où tu me verras dans une robe de mariée, sais-tu ? plaisanta la jeune fille. Et dans un peu plus d'une heure, tu pourras me congratuler sur le succès de ma mission.

— Les compliments ne viendront certainement pas de moi ! siffla l'autre avec fureur. En ce qui me concerne, tu devrais recevoir une vigoureuse correction, et rien d'autre. Si tu avais quelques années de moins...

— Ma chère Bridget, la taquina gentiment Tara, tu m'as menacée de cela toute mon enfance, et pourtant tu n'as jamais osé mettre tes paroles à exécution !

— Je le regrette, crois-moi, laissa tomber la gouvernante avec amertume. Si je m'étais montrée plus ferme, j'aurais été fière des deux jeunes filles que j'ai élevées. Au lieu de cela, l'une m'a donné des cheveux blancs avant l'âge avec son incorrigible impétuosité et l'autre passe son temps à s'amouracher de tous les gentlemen qu'elle croise et à pleurer toutes les larmes de son corps quand ils s'avèrent indifférents... Ta sœur Aithne possède vraiment une naïveté romantique désarmante ! Elle traverse la vie dans une sorte de petit nuage rose et n'a absolument aucun sens des réalités...

— Tu es injuste envers elle, protesta chaudement Tara. Aithne est dotée d'une grande sensibilité, et elle supporte très mal d'être rejetée. C'est tout à fait naturel !

La jeune fille serra les poings et poursuivit mélancoliquement :

— Si tu l'avais vue après ce tragique épisode...

Elle se tourna vers la fenêtre, revivant sa dernière rencontre avec sa jeune sœur. Celle-ci avait seulement un an de moins que son aînée, mais on l'avait toujours considérée comme le bébé de la famille. Deux mois

6

plus tôt, elle s'était précipitée dans la chambre de Tara et s'était mise à hoqueter avec des sanglots convulsifs :

— Je suis si malheureuse ! J'ai été humiliée, utilisée...

L'autre avait immédiatement soupçonné une idylle contrariée. Comme l'avait souligné Bridget, l'existence d'Aithne se révélait effectivement une succession de coups de foudre aussi fugitifs que passionnés. La cadette des sœurs O'Toole avait rencontré une dizaine de fois « l'homme de sa vie » mais son enthousiasme s'éteignait en général avec la rapidité fulgurante d'un feu de paille. D'après ses dires, cependant, le dernier soupirant en date — l'indigne baron maltais — lui avait fait miroiter des promesses et des serments qu'il n'avait, visiblement, pas la moindre intention de tenir.

— Il a profité de ma jeunesse, de ma candeur, avait gémi lamentablement la malheureuse. Sitôt qu'il a été sûr de mes sentiments, il en a profité pour me tourner le dos.

Au début, Tara s'était méfiée des déclarations pathétiques de sa sœur. Elle avait l'habitude des exagérations de cette dernière. Elle contempla avec attention le petit visage chiffonné et força l'autre à soutenir son regard.

— Aithne, tu dois m'avouer toute la vérité, sans tricher. Que s'est-il exactement passé avec cet homme ?

Les yeux bleus de son interlocutrice se détournèrent et ses joues devinrent écarlates.

— Je...

— Réponds-moi ! intima fermement l'autre. Jusqu'où t'es-tu laissée entraîner, petite tête de linotte ?

— Euh... Federico Cortes est extrêmement séduisant, tu sais, balbutia Aithne en baissant les paupières. Aucune femme ne saurait lui résister.

Tara soupira. L'entretien avec sa sœur s'était arrêté là...

Elle secoua la tête à l'évocation du souvenir et fixa Bridget d'un air pensif. La vieille dame l'observait sans pouvoir dissimuler son admiration. Elle avait souvent eu l'occasion de voir la jeune fille dans des tenues splendides ; robes de bal, de dîner, tenues de chasse... L'aînée des O'Toole savait s'habiller admirablement et harmoniser ses vêtements à ses prunelles vertes et ses cheveux mordorés comme des châtaignes mûres. Mais ce jour-là, la future mariée paraissait particulièrement à son avantage. Sa silhouette gracile se mouvait avec élégance dans la délicate dentelle ivoire de la robe. La coupe raffinée de celle-ci mettait en valeur une gorge ronde et parfaite, de longues jambes minces et une taille extrêmement fine. Les plis de la jupe, tombant jusqu'au sol, laissaient apercevoir de petits pieds chaussés de délicieuses sandales argentées. Tara avait fixé sur son abondante chevelure un voile, lui aussi constitué de dentelle ancienne que toutes les épouses Cortes de l'île de Malte se transmettaient de génération en génération... Le ravissant visage de la jeune fille prenait sous la fragile auréole neigeuse une expression rêveuse, presque énigmatique, qu'un étranger aurait eu bien du mal à déchiffrer. Avec le diadème d'argent fixant sa coiffure, elle évoquait une sorte de déesse lointaine, sortie d'un monde hivernal de glaciers...

Heureusement, la bouche pleine et sensuelle de Tara démentait ce côté distant de sa personnalité et révélait — ainsi que son regard vif — le feu bouillonnant dans ses veines d'Irlandaise.

Bridget ne s'y trompait pas.

— Si j'avais un seul souhait à formuler, murmura-t-elle pensivement, ce serait que tu tombes amoureuse d'un autre homme.

— Oh ! Je t'en prie, rétorqua l'autre avec colère, ne remettons pas ce sujet sur le tapis...

— Et pourquoi pas ? Ta sœur, du moins, se montre sensible aux hommages qu'elle reçoit. Mais toi, tu as beau avoir eu des dizaines de prétendants, tu ne peux t'empêcher de te lancer avec eux dans de grandes discussions où tu t'arranges pour obtenir l'avantage... Certes, tu as raison de te méfier des coureurs de dots, mais ta langue acerbe chasse même ceux qui sont sincères !

— Des hommes « sincères » ? répéta la jeune fille d'un ton incrédule.

Son rire argentin résonna à nouveau dans la pièce.

— De quoi s'agit-il ? reprit-elle. D'une nouvelle espèce non répertoriée ? Décris-la-moi avec soin, je t'en supplie. Ainsi, je pourrais la reconnaître si jamais elle croise mon chemin...

— Oh, tu peux te moquer, « mademoiselle je sais tout », s'exclama Bridget.

Elle détestait la taquinerie et la colère la faisait balbutier.

— Un homme sincère, un homme véritable, ajouta-t-elle, sera celui qui t'aimera et te chérira, celui qui sera un bon époux et un père attentif... C'est cela le plus important.

— Quelqu'un comme mon père, par exemple ? ironisa amèrement son interlocutrice.

Elle se détacha de la fenêtre devant laquelle elle se tenait et se laissa tomber dans un fauteuil dans un tourbillon de dentelles.

La vieille gouvernante ne répliqua pas. Après un coup d'œil désolé, elle se mit à ranger machinalement la pièce pour calmer sa nervosité. Elle ramassa deux ou trois morceaux de fils, redressa un cadre...

— Alors, Bridget ? Tu ne m'as pas répondu, la relança Tara en agitant pensivement sa sandale.

Un silence pesant s'ensuivit, puis la jeune fille explosa :

— La sincérité dont tu parles est une pure invention, tu le sais fort bien. Une fois mariée, la femme s'avère en général profondément déçue par la vraie nature de son époux. Elle commence alors à lui attribuer désespérément des vertus qu'il ne possède pas, à louer à tout bout de champ ses qualités de père et de mari... Sinon, la réalité lui serait trop insupportable. N'es-tu pas d'accord avec moi, ma mère ?

L'intéressée soupira. Elle connaissait fort bien les causes profondes de ce type de raisonnement.

— Ma pauvre colombe ! fit-elle avec tendresse. Tu as bien souffert d'être entourée d'une majorité d'individus uniquement attirés par ta fortune. Je regrette souvent que tu ne sois pas née pauvre. La richesse des O'Toole s'est surtout révélée une source d'ennuis et de problèmes... Si elle avait soupçonné cela, ta pauvre mère aurait certainement préféré emporter tous ses biens dans la tombe !

Elle soupira en se souvenant de son arrivée, de longues années auparavant, à la demeure de Ronald O'Toole. Elle craignait fort à l'époque de ne pas être acceptée pour l'emploi de gouvernante ; Bridget était alors déjà âgée et redoutait qu'on ne lui préférât une candidate plus jeune. Mais la belle épouse du maître de maison n'avait pas hésité à l'embaucher. La nouvelle venue s'était désormais entièrement dévouée à sa maîtresse, prenant soin de la petite Tara en attendant la naissance d'Aithne. Puis, le drame s'était produit ; Helena O'Toole était morte en donnant le jour à une minuscule petite fille, aussi blonde que l'aînée était rousse...

La gratitude de Miss Mc Bride ne s'était pas éteinte avec ce tragique décès. Au contraire, elle avait reporté tout son amour et sa sollicitude sur les deux fillettes. Elle leur avait servi de mère, les avait guidées à travers l'enfance et l'adolescence... Sans elle, les petites auraient été totalement livrées à elles-mêmes. Ronald O'Toole faisait preuve d'une égoïsme sans borne et n'avait jamais prêté aucune attention à Tara ni à Aithne. Ses épouses successives, aussi jolies que futiles, s'étaient d'ailleurs montrées tout aussi indifférentes au sort de leurs deux belles-filles.

Le père des enfants remplaçait les démonstrations d'affection par de somptueux cadeaux, en général d'ordre financier. Un chèque, s'il était absent à Noël, un autre s'il n'avait pas eu le temps d'acquérir un présent d'anniversaire... En somme, il ne se manifestait presque jamais en personne et ses filles connaissaient surtout de lui l'usage inépuisable de son porte-monnaie.

Aithne avait franchi ces années curieusement éprouvantes sans en paraître particulièrement affectée, et apparemment c'était également le cas de Tara. Mais Bridget saisissait bien le caractère de l'aînée, et s'apercevait des brefs moments où cette dernière trahissait une amertume et une fragilité d'ordinaire soigneusement dissimulées. Fragilité qui se manifestait d'ailleurs par une extrême méfiance envers tous les membres du sexe opposé...

Elle coula un regard de biais en direction de la jeune fille. A son grand soulagement, celle-ci avait l'air calme.

— Je me suis souvent demandé à qui tu ressemblais, intervint soudain la vieille gouvernante. Concernant ta sœur cadette, je n'ai aucun doute ; elle est le vivant portrait de votre défunte mère. Mais toi, en fait, tu me rappelles de façon frappante ta grand-mère maternelle. Je ne m'en étais jamais rendu compte jusqu'à présent.

— Grand-mère Roney ? sourit Tara en haussant les sourcils. Mm... Je l'aimais beaucoup, je dois l'avouer, et naturellement pas uniquement parce qu'elle m'a légué toute sa fortune ! Cela dit, grâce à elle, je peux me permettre d'être parfaitement indépendante et d'agir absolument à ma guise. Dans deux mois, j'aurai atteint ma majorité, et alors je ne dépendrai plus du tout de mon père. Ce sera merveilleux ! Je voyagerai, je visiterai un grand nombre d'endroits enchanteurs... Pas immédiatement, bien sûr. Il me faudra d'abord rester à

Malte quelque temps, ne serait-ce que pour me réjouir de la déconfiture de mon ennemi...

— Te réjouir ! fit Bridget en sursautant. Comment oses-tu lancer calmement d'aussi choquantes affirmations ? En outre, tu es cruelle à l'égard du baron. Autant que j'ai pu en juger, il semble posséder un sens de l'honneur très élevé et des principes rigides.

— Des principes ? s'esclaffa Tara. Cela m'étonnerait ! En ce moment-même, il est probablement en train de supputer l'usage le plus judicieux qu'il pourra faire de ma fortune !

Son rire s'éteignit dans sa gorge et elle consulta sa montre.

— Mon Dieu, Bridget ! Il est temps de te changer, sinon nous risquons fort d'être en retard.

L'intéressée se croisa les bras sur la poitrine. Son regard prit une expression réprobatrice et déterminée.

— Ma chère enfant, je ne mettrai pas les pieds à cette cérémonie, je te préviens. Jusqu'à présent, j'ai excusé beaucoup de tes idées les plus saugrenues en les portant sur le compte de ton enfance difficile. Mais là, tu vas trop loin !

— Tu... tu n'assisteras pas à mon mariage ?

La voix de la jeune fille trahissait une tristesse sincère. Bridget était la seule à avoir été mise au courant de l'union de Tara et du baron ; la présence de Ronald O'Toole et d'Aithne aurait pu s'avérer gênante, puisque la fiancée avait l'intention de rejeter son promis au dernier moment... Mais le fait de savoir la fidèle vieille gouvernante dans l'église aurait été profondément réconfortant. Tara, à présent, se sentait étrangement délaissée. Elle frissonna.

— Bien... je ne saurais t'y forcer, laissa-t-elle tomber.

Elle se détourna en faisant semblant de ne pas remarquer les mains crispées de Miss McBride.

— Maintenant, j'aimerais rester seule, conclut-elle d'un ton froid.

Son interlocutrice sortit en refermant doucement la porte derrière elle.

L'aînée des O'Toole contempla machinalement le paysage qui se dessinait à la fenêtre. De splendides palais, demeures des plus anciennes familles aristocratiques de Malte, se dressaient le long des ruelles sinueuses. L'hôtel particulier de la famille Cortes, où se tenait actuellement Tara, se trouvait au cœur de la « M'dina », la « ville silencieuse » qui avait été autrefois la capitale de l'île mais que désertait à présent le véritable centre actif de la cité.

Ce vieux quartier médiéval présentait au promeneur un aspect secret, intrigant. On se demandait volontiers ce qui se cachait derrière ces hauts murs de pierre chargés d'histoire... Les passants étaient rares et de nombreux propriétaires, poussés par la faillite, avaient dû abandonner le palais ayant abrité leurs ancêtres depuis des siècles. Lors de ses fréquentes promenades, Tara avait été frappée par le silence, rompu seulement de temps à autre par le klaxon d'un taxi en maraude ou par les cris joyeux d'écoliers que des religieuses austères s'empressaient de faire entrer dans les bâtiments du collège voisin.

Le palais Cortes lui-même semblait particulièrement ancien. Sa construction remontait au Moyen Age. Le Baron Federico pouvait s'honorer d'appartenir à l'un des plus glorieux rameaux de la noblesse maltaise. Pour Tara, cependant, l'homme évoquait surtout les rares survivants anachroniques de races disparues...

Légèrement troublée, sans très bien comprendre pourquoi, la jeune fille s'assit dans un fauteuil en se mordillant machinalement un ongle. La tâche qu'elle s'était assignée à l'origine — séduire Federico Cortes — s'était révélée d'une aisance déconcertante et avait été couronnée de succès. Sans éveiller les soupçons d'Aithne, elle avait réussi à lui soutirer toutes sortes d'informations sur l'aristocrate ; ses distractions favorites, ses habitudes, ses relations... Puis elle avait pris l'avion pour Malte et sitôt son arrivée, avait téléphoné à Mario et Dolores de Marco, les amis de la famille O'Toole. Ceux-ci avaient déjà hébergé la plus jeune des deux sœurs lors de son désastreux séjour dans l'île.

Tara éprouvait d'ailleurs quelques remords pour la façon dont elle avait exploité leur gentillesse. Sur sa demande, ils l'avaient conduite innocemment dans tous les endroits où elle savait pouvoir trouver le baron. Et un jour, finalement, elle l'avait aperçu... Accompagné d'une blonde ravissante, il tournoyait sur la piste de danse d'une discothèque réputée.

Dissimulant avec peine sa satisfaction, la jeune fille avait demandé à être présentée à cet homme, sans préciser que sa sœur lui en avait montré de nombreuses photos. Mario et Dolores le connaissaient et s'étaient exécutés volontiers. Quelques minutes plus tard, l'Irlandaise serrait la main de Federico Cortes. Elle examina discrètement, mais avec une attention soutenue, les traits de celui qui avait brisé le cœur de sa sœur, de celui qu'elle souhaitait punir...

Il était grand, mince, solidement musclé. Ses yeux d'un noir d'encre — dont Tara, d'ailleurs, avait peine à soutenir le feu sans se troubler — étaient sertis dans un visage arrogant, un peu osseux, à la bouche sensuelle et bien dessinée. Sa chevelure noire ondulait légèrement et la fierté que dégageait toute sa personne rappelait irrésistiblement les conquérants s'étant successivement installés à Malte ; les corsaires farouches, les romains venus de Sicile, les arabes orgueilleux dont la marque subsistait dans toute l'architecture de l'île, les chevaliers de l'Ordre de Malte, énigmatiques et tout-puissants...

La jeune O'Toole, lors de cette première rencontre, s'était permis un sourire ambigu, devant signifier au baron qu'elle n'était pas insensible à son charme. Son plan, dès lors, s'était déroulé à la perfection ; l'homme n'avait plus jamais revu sa cavalière blonde et avait passé les trois semaines suivantes avec la sœur d'Aithne. Ils avaient dansé, nagé, visité des sites magnifiques, dîné dans des restaurants typiques et délicieux...

Le baron, apparemment, était littéralement ensorcelé par l'Irlandaise aux yeux verts. Cela n'avait d'ailleurs rien d'étonnant ; la séduction de cette dernière, sa vivacité, sa fougue étaient absolument irrésistibles. Il était bel et bien tombé dans le piège...

Avec une constance remarquable, Tara avait souri à ses plaisanteries, rougi devant ses compliments et supporté sans broncher ses tendres baisers. Peu à peu, Federico était tombé éperdument amoureux d'elle et ses élans passionnés se faisaient de plus en plus pressants. Un soir, il l'avait entraînée dans le jardin pour une promenade romantique au clair de lune. Il avait enlacé la jeune fille contre lui, le souffle court, ses mains caressant langoureusement les courbes graciles de son corps... Sa compagne avait dissimulé un sourire ; le moment était enfin venu de frapper son coup de Jarnac, de le rejeter brutalement. Elle l'avait repoussé avec une grande fermeté, s'était reculée d'un pas et avait lancé d'un son clair :

— Mon cher Federico, vous allez être fort surpris, mais je dois vous avouer que...

Cependant, contre toute attente, la surprise avait été pour elle. Sans lui laisser le temps de terminer sa phrase, l'homme avait posé ses lèvres sur les siennes et murmuré d'une voix rauque, suppliante :

— Tara O'Toole, acceptez-vous de m'épouser ?

Sidérée, son interlocutrice était restée immobile. Cette question extraordinaire — vu le passé de Don Juan et de célibataire endurci de l'aristocrate — la prenait de court. En un éclair, elle songea à la malheureuse Aithne, à toutes les femmes dont il s'était joué... et avait répliqué sans plus hésiter :

— Mais oui, pourquoi pas ?

Sa vengeance, ainsi, serait encore plus complète. Il serait abandonné sur les marches mêmes de l'autel...

Tara esquissa un sourire, se leva et défroissa sa robe de dentelle. Dans quelques heures, les dés seraient jetés.

2

Le bras posé sur celui de l'oncle du Baron, Tara franchit à pied la courte distance séparant la demeure Cortes de la cathédrale. Sur son sillage, des enfants vêtus de splendides costumes jetaient des pétales de rose ; les cloches sonnaient de toutes leurs forces et l'écho d'un chœur chantant des cantiques s'échappait depuis l'intérieur de la nef.

Sans ressentir aucune émotion, la jeune fille gravit d'un pas léger les marches du porche. Elle hésita un instant sur le seuil ; l'obscurité du lieu saint contrastait étrangement avec la chaleur vibrante du soleil qu'elle venait de quitter. Mais son compagnon lui serra légèrement le poignet et elle s'avança. La musique de l'orgue vint se mêler aux voix des choristes dans un tremblement de tonnerre. Debout devant l'autel, dans un costume sombre orné d'un œillet blanc, l'homme que Tara s'apprêtait à abandonner attendait.

La remontée de l'allée centrale se faisait avec une extrême lenteur ; mais l'Irlandaise n'aurait pas raté le spectacle pour un empire. Tout autour d'elle, dans les travées, étaient installés les représentants les plus éminents de la famille Cortes, et elle bouillait d'impatience de voir leur surprise et leur colère lorsqu'elle aurait prononcé le « non ! » fatidique... Tous avaient revêtu leurs plus beaux atours, réunissant péniblement les derniers écus de leur fortune déchue pour paraître dignes d'assister à la cérémonie.

Tara leva les yeux et son regard rencontra soudain le visage pur d'une madone de bois peint. La statue, curieusement, lui rappelait celle que Bridget avait posée dans sa chambre et devant laquelle elle pratiquait quotidiennement ses dévotions. La jeune fille ressentait soudain une étrange sensation de remords la submerger. A l'évocation de la gouvernante, un profond sentiment de culpabilité l'envahissait... Mais elle s'efforça de chasser cette impression désagréable et porta son attention sur les lourds chandeliers d'argent massif, les revêtements brodés de l'autel, les crucifix imposants, la chaire de bois sculptée... Une puissante odeur d'encens, toujours associée dans son esprit aux cérémonies les plus solennelles, se répandait dans la nef. Tara retint à temps une absurde impulsion d'éclater de rire. Elle posa le pied sur la première marche menant au chœur et au même moment la musique s'arrêta.

Le baron se tenait debout juste à côté d'elle. A l'instant où le prêtre s'approchait d'eux, Federico lança à sa compagne un regard à la fois ému et admiratif. La jeune fille se força à répondre à son sourire ; sa gorge s'était serrée tout à coup et elle éprouvait des difficultés à avaler.

Subitement, en un éclair, elle se rendit compte de l'incommensurable folie de son projet. Bridget avait raison ; il était impossible de causer un scandale ici, dans la cathédrale. Il aurait fallu annoncer sa décision de renoncer au mariage bien avant, sans attendre cette minute sacrée entre toutes. Une demi-heure plus tôt, la sœur d'Aithne aurait encore pu abandonner son fiancé d'un cœur léger, satisfaite d'avoir vengé des dizaines de femmes bafouées. Mais à présent, cela devenait très difficile...

L'orgue reprit doucement sa litanie. Le prêtre, flanqué de deux assistants, se tourna vers le public et entonna les premiers mots de la cérémonie nuptiale. Tara tremblait de tous ses membres. Elle ne partageait pas la foi sans failles de Bridget, mais gardait malgré tout un certain respect pour la religion dans laquelle celle-ci l'avait élevée. La musique, les chants, le sérieux de l'ensemble rendaient délicat l'exercice du cynisme.

Le parfum des fleurs s'avérait littéralement suffocant. On avait disposé partout d'énormes bouquets ; dans de vastes urnes disposées sur le côté des marches, le long des travées, au pied des murs où ils jetaient des taches de couleurs vives contre les teintes pâles du marbre veiné de vert et de gris. Un long moment s'écoula. Le cœur de la jeune fille battait à toute allure et elle suivait à peine les prières et les répons. Puis l'officiant, vêtu d'une aube richement rebrodée d'or, fit signe aux futurs époux de s'agenouiller. Une véritable panique s'empara de Tara. C'était le moment précis qu'elle avait choisi pour se tourner vers le baron et annoncer, à haute et intelligible voix, qu'elle renonçait à devenir sa femme... Mais au moment de répondre à la question rituelle : « Tara O'Toole, acceptez-vous d'épouser Federico Cortes, de lui jurer amour et fidélité... » les mots prévus s'étranglèrent dans sa gorge et elle s'entendit murmurer presque imperceptiblement :

— Oui...

Elle était comme frappée de stupeur. Vu de loin, le projet avait semblé facile à réaliser, presque comme un jeu : mais l'atmosphère grandiose et prenante, l'expression concentrée et respectueuse du baron l'avaient influencée au point de ne plus pouvoir maîtriser ses intentions. D'un œil incrédule, horrifié, elle contempla le mince anneau d'or blanc que son mari — son mari ! — venait de glisser à son doigt.

La suite se déroula comme un cauchemar auquel l'Irlandaise avait l'impression d'être étrangère. Des visages inconnus et radieux se pressaient autour d'elle pour la féliciter, pour congratuler « la nouvelle et très honorable baronne Cortes... ». Les bavardages bruissants autour d'elle lui paraissaient incompréhensibles.

Elle se laissa guider sans réagir vers la sortie. L'une des tantes du baron s'était approchée d'elle et s'était exclamée en lui tapotant maternellement l'épaule :

— Quelle chance extraordinaire vous avez! Beaucoup de jeunes filles des mieux nées aimeraient se trouver à votre place...

Puis la vieille dame s'était éloignée, sans se troubler de ne pas recevoir de réponse. Certes, elle jugeait la nouvelle épousée fort pâle, et même un peu abasourdie; mais c'était très naturel. « La chère enfant doit être folle de joie », confia-t-elle d'un air complice à l'une de ses amies.

Abasourdie était un terme bien faible pour décrire ce que Tara ressentait. Elle était pétrifiée devant les conséquences de son geste. Comment avait-elle pu se conduire de façon aussi stupide, aussi irréfléchie? Les événements prenaient un tour absolument imprévu. Elle avait cru berner quelqu'un, et se retrouvait elle-même prise à son propre piège... La violence du choc la laissait inerte et sans voix.

Le baron, quant à lui, paraissait visiblement enchanté. Il serrait des mains en souriant, remerciant aimablement la foule des visiteurs. Lors d'un court répit dans le défilé des invités, il se pencha à l'oreille de sa compagne et murmura :

— Vous êtes livide... Remettez-vous, ma chère. Je suis heureux de vous voir émue, mais vous semblez presque hébétée.

— Federico... commença Tara d'une voix brisée.

Elle avala sa salive, cilla sous le regard intrigué de l'autre et poursuivit :

— Je... je dois vous parler immédiatement, seul à seule.

— Tout de suite ? s'étonna-t-il en haussant les sourcils. Cela ne peut-il pas attendre un peu ?

— Non. C'est très urgent, supplia-t-elle d'un ton désespéré.

Ils étaient en train de traverser la place et pénétrèrent dans le vaste hall du « palazzo » Cortes où attendait un buffet accompagné de champagne.

— Il nous est impossible de bavarder maintenant, ma chère, répondit Federico. Nous devons nous acquitter de nos devoirs envers nos invités.

La jeune fille grimaça un sourire figé et contempla sans les voir les luxueux éléments décorant la pièce. Là aussi, il y avait des fleurs à profusion, sur de longues tables couvertes de nappes damassées étaient accumulés les coupes de cristal chargées de fruits, les plateaux en argent regorgeant de petits fours... Durant deux heures qui lui semblèrent épouvantablement longues, Tara dut endurer l'ingestion d'une nourriture dont elle n'avait aucune envie et d'oiseuses conversations. Tous les membres de la famille Cortes paraissaient rivaliser dans d'interminables discours sur l'honneur qu'elle devait éprouver à entrer dans leur noble famille. Enfin, peu à peu, la foule s'égaya en petits groupes dans les salons et les fumoirs et la nouvelle mariée — la baronne Cortes — tira son époux par la manche.

— Federico, je vous en supplie...

Il tourna vers elle un regard aimant.

— Oui, ma chérie ?

Ses prunelles exprimaient un désir brûlant et elle frissonna en s'efforçant de dissimuler l'aversion qu'il lui inspirait.

— Nous pouvons nous retirer, à présent, assura-t-il sans lui laisser le temps de s'exprimer. Nous aurons largement le loisir de nous préparer.

Son interlocutrice retint sa respiration et interrogea, les yeux agrandis :

— De nous préparer ? Mais à quoi ?

— A partir en lune de miel, naturellement, répliqua-t-il en souriant. Ne vous en ai-je pas parlé ? Nous devons séjourner quelque temps dans ma propriété de l'île de Gozo, non loin d'ici. Nous y serons plus au calme qu'à Malte. L'endroit vous plaira, j'en suis sûr.

Tara hocha silencieusement la tête. Effectivement, elle se souvenait avoir entendu parler de Gozo, mais n'y avait prêté alors aucune attention... comme d'ailleurs à la plupart de ce que disait l'homme. Elle était tellement sûre de réussir et de ne plus jamais le revoir !

Côte à côte, ils prirent congé des invités et se retrouvèrent dans le silence paisible de la ruelle. La jeune femme eut à peine le temps de rassembler ses esprits ; son compagnon l'avait déjà attirée à lui, et l'embrassait avec une fougue inégalée, comme s'il était certain à présent de vivre éternellement à ses côtés. Elle se sentit brusquement envahie de colère et d'amertume, à la fois contre lui, contre elle-même et contre le monde entier. D'un geste brutal, elle s'écarta en détournant son visage. Elle s'apprêtait à se lancer dans une violente diatribe de protestation, lorsque Bridget apparut sur le seuil de la demeure.

— Ah ! Vous voilà, s'écria-t-elle avec une intense satisfaction. Je t'ai préparé tes bagages, ma chère baronne. Tout ce dont tu auras besoin pour ta lune de miel se trouve dans cette malle.

Tara rougit jusqu'aux oreilles en discernant la taquinerie contenue dans les paroles de la gouvernante. Federico adressa à la nouvelle venue un sourire charmeur.

— Merci infiniment de votre sollicitude, Miss Mc Bride, fit-il en se penchant pour déposer galamment un baiser sur la main ridée de la vieille dame. Et merci d'avoir veillé pendant toutes ces années sur celle qui est à présent mon épouse bien-aimée.

Bridget rosit de plaisir et balbutia quelques mots émus. La personnalité séduisante du Maltais lui paraissait irrésistible, et elle était peu habituée aux hommages masculins. En quelques secondes, Federico venait de s'en faire une alliée...

Cela n'était pas du tout du goût de la jeune femme. Celle-ci se sentit encore plus furibonde lorsque la gouvernante répliqua maladroitement :

— Je suis profondément heureuse pour ma petite Tara, monsieur Cortes. Elle a trouvé l'époux idéal.

L'intéressé s'inclina et se tourna vers la jeune O'Toole.

— Remontez vous changer, ma chère, intima-t-il. Je vous donne un quart d'heure. Nous faisons la traversée en bateau et je désire me mettre en route avant le coucher du soleil.

Tara acquiesça d'un geste bref et, suivie de Bridget, se dirigea vers la petite porte menant directement aux appartements. Heureusement, le palais possédait deux entrées ; elle n'avait pas besoin de repasser par les salons. La petite porte était d'ailleurs celle que toute la maisonnée utilisait quotidiennement.

Une fois dans la chambre, la jeune fille éclata de rage contre sa compagne :

— Comment oses-tu te montrer aussi flatteuse avec cet homme ? As-tu oublié la façon dont il a traité Aithne ?

Sans se laisser démonter, l'autre lui fit signe de s'asseoir et commença à ôter les épingles retenant le voile.

— C'est le plus beau jour de ma vie, confia-t-elle calmement. Te savoir enfin mariée, et bien mariée...

Tara tapa rageusement du pied.

— Ne dis donc pas de bêtises... Tu avais pourtant refusé d'assister à la cérémonie, il me semble ! Tu es bien prompte à changer d'avis sur le baron !

— D'une part, c'est à cause de toi que j'avais décidé de me tenir à l'écart, riposta son interlocutrice sans sourciller. D'autre part, je me suis tout de même faufilée dans l'église au dernier moment. Je n'ai pas pu résister, je l'avoue, bien que redoutant par-dessus tout de te voir mener à bien ton stupide projet... Tu m'as donné bien du tourment, Tara. J'ai passé des heures à me torturer en me demandant quelle faute j'avais pu commettre dans ton éducation... Mais lorsque je t'ai entendue murmurer ce « oui », j'ai compris que ma petite fille n'avait pas le cœur aussi cruel qu'elle le prétendait. Et je me suis réjouie de voir cet homme si respectable, si sincère, lui glisser l'anneau au doigt.

Elle hésita un instant, se mordit la lèvre et conclut d'un trait :

— Le baron est exactement l'époux qu'il te fallait, à mon avis.

— Il t'a fait un baisemain une fois, jeta farouchement la jeune femme et cela t'a suffi pour te former une opinion. La belle affaire ! Et en ce qui concerne ta dernière affirmation, sache que je n'ai pas l'intention de rester mariée avec M. Cortes, fût-il ou non le mari idéal !

Bridget pâlit notablement et la considéra avec stupeur.

— Que... que veux-tu dire ? Ceux que Dieu a unis...

— Oh, je t'en prie ! hurla l'autre avec fureur.

Elle se leva et entreprit frénétiquement de dégrafer sa robe. Après l'avoir ôtée, elle s'en empara et l'envoya voler à l'autre bout de la pièce.

— Je me suis conduite stupidement, je suis la première à le reconnaître, reprit-elle d'un ton presque hystérique. Mais grâce au ciel, le divorce est une chose qui existe, et je suis heureusement assez fortunée pour me le permettre.

— Un divorce ? s'exclama la gouvernante. C'est hors de question, voyons ! Ce genre de chose ne se produit pas, à Malte, pas plus d'ailleurs qu'en Irlande.

— Dans ce cas, je ferai annuler le mariage. Je suis prête à tout pour me débarrasser de cet individu !

La vieille dame soupira et traversa la chambre pour ramasser la robe de mariée.

— Tu sembles certaine d'arriver à tes fins, lança-t-elle, mais à mon avis, le baron ne l'entendra pas du tout de cette oreille.

Feignant de ne pas remarquer le soupir exaspéré de son interlocutrice, elle poursuivit :

— Comment comptes-tu t'habiller pour le voyage ?

Tara bondit sur ses pieds et faillit répliquer vertement, mais Bridget l'arrêta d'un geste impérieux de la main, retrouvant momentanément toute son autorité. La jeune femme garda le silence.

— L'île de Gozo est très petite, ma chère, ajouta-t-elle ironiquement, et quasiment inhabitée. Si tu tiens à te battre avec quelqu'un, attends de t'y retrouver seule avec le baron !

L'autre baissa les yeux, forcée de reconnaître la justesse de la remarque. Elle sortit un tailleur léger et commença à se vêtir. Elle était en train de serrer la masse volumineuse de sa chevelure dans un foulard lorsque Federico lui-même fit une entrée inopinée dans la pièce. Il s'était lui aussi changé et portait un jean de velours confortable et une veste de tweed. L'Irlandaise ne put s'empêcher d'admirer sa démarche souple, élastique, qui n'était pas sans évoquer celle d'un fauve aux aguets...

— Quelle soudaine transformation ! s'exclama-t-il gaiement. Où est donc passée ma ravissante épouse, Bridget ? Cette jeune femme arbore un visage si contrarié !

— Vous devrez vous y habituer, plaisanta la vieille dame. Tara change d'humeur en changeant de vêtements. En robe du soir, elle se prend pour Marylin Monroe ; en costume de bain, pour Jane, la compagne de Tarzan...

L'homme éclata de rire et s'approcha de sa femme.

— J'ai hâte de savoir quel personnage vous adoptez

dans le plus simple des appareils, lui chuchota-t-il à l'oreille.

La jeune O'Toole était encore écarlate lorsqu'ils s'installèrent dans la puissante voiture de sport devant les conduire jusqu'à la côte.

Le soleil déclinait lentement sur l'horizon, et malgré elle, Tara admirait la beauté du paysage. La sécheresse de la terre, souvent dépourvue de végétation, contrastait avec celle de son pays natal ; mais en revanche, comme par une sorte de compensation à l'absence de verdure, le ciel et la mer étiraient à l'infini leurs bleus presque semblables, purs et vibrants, et à chaque creux de muraille s'accrochaient des myriades de fleurs bigarrées.

De temps à autre, un tournant de la route révélait un vignoble, ou quelques chèvres broutant paisiblement. Les villas à colonnes, d'aspect un peu byzantin, étaient splendides. Le baron, soucieux de respecter l'émerveillement de sa compagne, n'intervenait pas.

Celle-ci hésitait à engager tout de suite la discussion avec lui et à lui révéler son erreur. A un moment, cependant, elle s'était enfin décidée à parler lorsqu'il stoppa la voiture devant une minuscule épicerie et disparut quelques instants.

— Voici des « figolli », annonça-t-il en revenant et en exhibant triomphalement un sac de papier. Ce sont des gâteaux en forme d'animaux ; colombes, agneaux… qui sont censés représenter la pureté et l'absence de vices. Si j'avais eu le temps, j'en aurais fait préparer un à votre image.

— Me considérez-vous donc comme pure et libre de tout vice ?

— Je n'irai pas jusque-là, plaisanta-t-il avec un regard de biais. J'ai pu déceler chez vous une trace d'obstination et de mauvais caractère pas vraiment vertueux. Quant à votre pureté, elle ne fait pas de doute.

— Vous vous montrez bien affirmatif ! jeta-t-elle avec une indignation dont la naïveté enfantine n'échappa pas à son compagnon.

— J'ai deviné votre crainte profonde des hommes, murmura-t-il doucement. Une femme trahit toujours son innocence, même inconsciemment...

— De quelle manière ?

Le conducteur tira un instant sur son cigare avant de répondre :

— Par des petits détails. Un frémissement inexpérimenté lorsqu'on lui donne un baiser, une rougeur subite lorsque l'on frôle sa poitrine...

Tara se sentit à nouveau rougir jusqu'aux oreilles.

— Quel don d'observation ! fit-elle en s'efforçant de prendre un ton léger.

— Votre tempérament passionné vous est peut-être encore inconnu à vous-même, poursuivit-il sans se troubler. Mais il est là, au fond de votre être. Derrière vos apparences distantes et glacées, coule un véritable feu de désir...

— Vous n'en savez rien ! Epargnez-moi ces bêtises, je vous en prie, protesta-t-elle vigoureusement.

Ils arrivaient en vue de la jetée. Federico gara sa voiture et vint ouvrir la portière de la jeune femme.

— Nous avons toute la vie pour vérifier ou contredire mes théories, ma chère, conclut-il en riant.

3

L'île de Gozo, au contraire de Malte, était verte et vallonnée. De loin, Tara aperçut un ferry-boat qui venait d'accoster dans un port aussi encombré que minuscule ; des piétons et quelques voitures émergèrent sur le quai. Le bateau de Federico poursuivit son chemin. L'eau, couleur d'aigue-marine, était pure et transparente. Elle laissait deviner un univers chatoyant de roches colorées, d'algues langoureusement agitées par un reflux imperceptible, de petits poissons argentés glissant dans l'onde et changeant de direction sans raison apparente, comme pour obéir à un mystérieux signal...

De l'autre côté de l'île, les falaises tombaient à pic dans la mer, révélant parfois de sombres grottes creusées dans le rocher. Sur le plateau, la jeune femme distingua à nouveau des vignobles et des chèvres ; mais, apparemment, aucune présence humaine.

Le baron jeta l'ancre dans une baie sableuse et déserte. Tara ressentit soudain une étrange impression de solitude, d'exil. Le reste du monde semblait tout à coup très loin...

Son compagnon l'aida à poser le pied sur la jetée de bois.

— Bienvenue à Gozo ! lança-t-il en souriant.

Il s'empara des bagages et tous deux se dirigèrent

vers une villa perchée au sommet de la colline. Les traits pourpre et or du soleil couchant frappaient de plein fouet la construction de style mozarabe, découpant comme une ombre chinoise le minaret qui la surplombait. La demeure avait dû être celle d'un noble musulman venu y trouver refuge dans les périodes troublées de son existence. Elle paraissait secrète et mystérieuse, recélant en son sein les fantômes d'une splendeur passée... Le couple s'engagea sous une arche voûtée dont le fronton s'ornait de l'écusson de la famille Cortes. Une haute grille de fer forgée, visiblement destinée à décourager les intrus — pirates et ennemis du moyen âge — s'ouvrait sur un patio où chantait une fontaine. Tara admira au passage les délicats entrelacs de la grille, à la fois hautains et précieux.

L'intérieur de la maison était composé de vastes pièces. Certaines ne comportaient ni portes ni fenêtres mais toutes donnaient sur une galerie encadrant le patio. Des palmiers, autour de la fontaine, ombrageaient le foisonnement exubérant de la végétation. L'eau jaillissait de la gueule de deux dauphins de pierre, immuables et menaçants. Tous les murs, jusqu'à mi-hauteur, étaient recouverts de céramique blanche et bleue, s'harmonisant parfaitement avec les couleurs éclatantes des massifs fleuris. L'ensemble semblait conçu pour la détente oisive et le repos, pour passer de l'ombre apaisante des chambres à la chaleur de l'après-midi, tempérée par les arbres et par l'eau...

— Qu'en pensez-vous, ma chère ? lança soudain la voix du baron. Cette retraite vous paraît-elle adéquate pour abriter notre lune de miel ?

Son interlocutrice avala sa salive. Tout son sang-froid l'avait abandonnée à l'instant où elle avait posé le pied dans la villa. L'atmosphère évoquait de façon prenante une certaine langueur orientale, une moiteur de harem, un univers entièrement orienté vers la satisfaction du désir masculin. A chaque instant, elle s'attendait à entendre l'appel nostalgique d'un muezzin.

Elle cherchait désespérément quelle réponse donner à l'autre lorsqu'un domestique s'approcha d'eux d'un pas vif. Dissimulant un léger soupir d'exaspération — car il souhaitait rester seul avec son épouse — Federico se tourna vers lui.

— Paul, je vous présente ma femme, la baronne Cortes.

Tara esquissa une imperceptible grimace à la mention de son titre, mais le domestique — un Maltais de petite taille à l'expression énigmatique — ne sembla pas la remarquer. Il s'inclina avec un sourire de bienvenue et souleva les deux valises.

— Informez votre épouse de notre arrivée, je vous prie, poursuivit le maître de maison. Et demandez-lui de nous préparer quelques plats typiques pour le repas, car Tara sera certainement désireuse de goûter à notre cuisine locale. Des « bragioli », par exemple, ou une « torta tal-Lampuki... ».

Tout en parlant, il avait guidé la jeune femme à la suite du serviteur et ils pénétrèrent dans une vaste pièce aux murs tendus de satin crème. Paul posa les bagages au pied d'un lit recouvert de dentelle.

— Regardez ce tissu, lança le baron à l'adresse de sa compagne. Il est fabriqué ici même, à Gozo, et les motifs constituent une évocation de l'amour. Des cœurs entrelacés, des fleurs, des cupidons ailés...

La fine dentelle se retrouvait sur les rideaux encadrant la fenêtre. Les motifs se répétaient dans le tapis de laine blanche sur lequel, aux quatre coins, on distinguait un couple de colombes. Les moulures du plafond reprenaient elles aussi le même thème auquel venaient s'ajouter des épis de blés · et des coquilles, symboles de fertilité.

— Cette chambre est traditionnellement destinée à la mariée, expliqua Federico.

Tara ne répondit pas. Il fronça les sourcils et renvoya l'employé qui s'apprêtait à défaire les valises.

— Laissez cela, Paul. Vous vous en occuperez plus tard. La baronne va se reposer une heure ou deux et ensuite vous pourrez servir le dîner.

D'un pas volontairement nonchalant, l'Irlandaise se dirigea vers l'armoire en bois de cèdre et l'ouvrit. Elle ôta la veste de son tailleur et l'accrocha sur un cintre. L'élégant vêtement gris pâle, de coupe moderne, contrastait étrangement avec la riche atmosphère de palais mauresque que dégageait la pièce.

Le baron s'approcha, fixant sur sa compagne un regard sombre et intrigué. Il tendit la main comme pour la toucher, puis renonça. Elle retint sa respiration.

— Que se passe-t-il, Tara ? questionna-t-il à voix basse. Vous êtes remarquablement silencieuse...

Le moment de s'expliquer était enfin arrivé, songea-t-elle. Il n'était plus possible de reculer. Courageusement, elle fit face, leva vers lui ses yeux verts et articula nettement :

— Federico... Je suis la sœur d'Aithne.

Comme elle s'y était attendue, il simula la surprise, avec une habileté qui suscita en elle un doute passager. Il haussa les sourcils, esquissa encore un pas vers elle et s'écria :

— Vous avez une sœur ? Pourquoi ne pas m'en avoir parlé auparavant ? Elle aurait pu assister à notre mariage...

Cette fois, la jeune femme était sûre de sa duplicité. Une vague de colère la submergea, dévastant sur son passage toute notion de prudence.

— Vous savez fort bien pour quelle raison je ne l'ai pas invitée ! s'exclama-t-elle. C'est elle qui aurait dû tenir ma place dans l'église et devenir votre femme. Mais vous l'avez trompée, bafouée, puis rejetée comme un jouet dont vous n'aviez plus envie... Vous avez fait d'elle l'objet d'un simple caprice. Comment osez-vous prétendre ne pas connaître ma sœur ?

L'homme ouvrit la bouche, sidéré par l'explosion de fureur de cette épouse docile dont seul le silence prolongé, jusqu'à présent, l'avait inquiété.

— Vous êtes une brute, poursuivit Tara en tapant du pied. Un gigolo sans scrupules, un Don Juan de bas étage ! Votre affection pour une femme se mesure exactement à l'importance de son compte en banque...

Deux taches rouges étaient apparues sur les pommettes de Tara. Ses prunelles étincelaient et son interlocuteur contemplait d'un air incrédule cette furie inconnue. Tout d'un coup, il sembla se ressaisir et agrippa d'une poigne d'acier le bras de son épouse.

— Dites-moi une chose, questionna-t-il d'une voix sifflante. Pourquoi vous êtes-vous mariée avec moi ?

— Pour vous rendre la monnaie de votre pièce, répliqua-t-elle en s'efforçant de ne pas céder à la panique. Pour vous faire regretter d'avoir maltraité l'une des deux sœurs O'Toole ! D'ailleurs, je n'avais pas l'intention de vous épouser. J'ai commis une erreur. A l'origine, je voulais vous abandonner en plein milieu de la cérémonie, vous humilier en public devant tous les membres de votre famille... Dieu merci, je me suis avérée incapable de tomber à un niveau aussi bas. Mais vous ne perdez rien pour attendre !

Elle se dégagea d'un geste vif et ramassa son sac à main posé sur le lit. Elle l'ouvrit d'un geste rageur, en tira son chéquier et l'agita sous le nez de l'autre.

— Combien voulez-vous ? jeta-t-elle. Quel est votre prix pour accepter un divorce rapide ?

Curieusement, ses paroles ne suscitèrent pas la réaction attendue. L'homme resta silencieux un moment interminable sans pouvoir détacher ses yeux de la femme qu'il avait promis d'aimer et de chérir toute son existence. Il secoua la tête et se passa la main sur le front, comme pour se délivrer d'un cauchemar, puis traversa comme un somnambule les quelques mètres les séparant. Ses pas, sur le tapis, étaient aussi feutrés que ceux d'un chat.

Quiconque plus crédule que l'Irlandaise aurait pu être trompé par la grave sincérité avec laquelle il énonça enfin d'une voix sourde :

— Je vais vous dire la vérité, Tara, et je vous supplie de me croire. Je vous affirme n'avoir aucun souvenir, quel qu'il soit, de cette sœur dont vous me parlez. Je ne me rappelle même pas son nom, qui est pourtant assez particulier. Quand et où suis-je supposé l'avoir rencontrée ? Et surtout, de quel crime m'accusez-vous exactement ?

La jeune femme réagit comme une tigresse protégeant son petit. Si l'homme disait vrai, alors Aithne avait menti, et c'était absolument impossible. La cadette était capable d'enjoliver la vérité, certes, et d'utiliser des faux-fuyants, mais pas de répandre des calomnies sur le compte d'un inconnu pour le simple plaisir de satisfaire sa vanité. Son désarroi d'ailleurs avait été trop visible, trop authentique pour ne pas être fondé.

Tara leva fièrement le menton et soutint sans frémir le regard de l'autre.

— Vous avez fait la connaissance de ma sœur à Malte, il y a quelques mois. Vous l'avez séduite puis lâchement abandonnée après de fausses promesses... Comprenez-vous mon désir de vengeance, à présent ? Vous mériteriez même un châtiment encore plus cruel...

A son immense surprise, Federico Cortes éclata soudain d'un rire sonore. Ses traits se détendirent et tous ses muscles se relaxèrent.

— Tout s'éclaire, à présent, affirma-t-il. Vous me prenez pour un autre ! Si votre sœur avait joué un si grand rôle dans ma vie, aurais-je pu l'oublier ?

Il s'avança vers son épouse et murmura à son oreille :

— Cessons ce jeu absurde, je vous en prie. Allons-nous gâcher toute notre lune de miel en nous querellant sur des détails grotesques ?

— Ne me touchez pas ! cria-t-elle en se rejetant en arrière. Je n'ai pas changé d'avis, et je renouvelle ma question : quelle somme désirez-vous en échange d'un divorce ?

Le baron se figea à nouveau, comme s'il évaluait pour la première fois la proposition de son interlocutrice. Un soudain éclair de fierté illumina ses prunelles, la fierté sans indulgence d'un homme qui demandait à sa compagne une loyauté et une confiance totales...

— Le divorce est hors de question, répliqua-t-il en martelant ses mots. Quel que soit le prix que vous offrez !

— Dans ce cas, une annulation... suggéra Tara, curieusement effrayée par la détermination de l'autre.

— Non plus ! coupa-t-il sèchement. On obtient l'annulation d'un mariage seulement s'il n'a pas été consommé, ce qui ne sera pas le cas pour nous. Croyez-moi !

Sur ces mots, il gagna la porte et sortit en la refermant brutalement derrière lui.

Tara resta un instant immobile. Elle n'accordait aucun crédit à ses menaces. Il essayait simplement de bluffer pour l'intimider. Mais elle n'était pas une jeune pensionnaire fragile, elle savait se défendre. Et elle était riche... L'argent ne permettait-il pas de résoudre bien des problèmes ? Federico était un noble, certes, mais le clan irlandais dont elle provenait était au moins aussi ancien et respectable que le sien. Un sang fougueux et passionné courait dans les veines de Tara O'Toole.

Pour s'occuper et calmer le tremblement nerveux qui l'avait saisie, la jeune femme commença à défaire sa valise. Elle découvrit avec une stupéfaction exaspérée que Bridget avait emballé un assortiment de vêtements totalement à l'inverse de ce qu'elle aurait choisi elle-même. Tara aimait les tenues simples, confortables, bien coupées ; et toute sa garde-robe, jusqu'à ses robes de cocktails et de soirée, portait la marque d'une sobriété de bon aloi. Or, la gouvernante avait accumulé une série d'effets sophistiqués, chargés de friselis et de dentelles, presque « sexy ». Ils étaient visiblement destinés à flatter les dispositions amoureuses du baron dont le goût pour les frivolités était bien connu... La récente baronne déploya avec dépit des déshabillés de soie aux décolletés vertigineux, des fourreaux fendus sur la jambe, des jupes gitanes accompagnées de jupons bordés de dentelle devant dépasser sur la cheville de manière parfaitement friponne, des sous-vêtements de satin noir quasiment importables. En apercevant les derniers articles posés au fond de la valise, Tara ne put retenir une exclamation furibonde : « Bridget, tu n'es qu'une hypocrite ! » En effet, la vieille dame avait intégré à l'ensemble de minuscules bikinis dont elle avait pourtant souvent stigmatisé avec feu l'indécence. Les considérait-elle donc comme honorables pour une femme mariée ?

Avec un murmure consterné, la jeune femme remit le tout dans la malle et referma rageusement le couvercle.

Elle se rendit compte tout à coup qu'elle mourait de faim. Le matin même, elle avait refusé de toucher à son petit déjeuner et s'était contentée de grignoter quelques petits fours lors de la réception. La seule solution était de se joindre à Federico pour le dîner. Elle détestait sa présence, mais une nuit avec le ventre vide lui semblait une perspective encore plus insupportable. La valise fut ouverte à nouveau et l'Irlandaise sélectionna la moins voyante des toilettes. L'amoureux désenchanté, de toute façon, ne prêterait probablement aucune attention à celle qui était devenue son épouse par une erreur tragique.

Trois quarts d'heure plus tard, après un bain relaxant, Tara examina dans le miroir l'effet produit par la robe de soie noire. Celle-ci dessinait tout de même de manière suggestive les courbes de ses hanches et révélait la naissance neigeuse des seins... La jeune femme fronça les sourcils ; ce n'était pas exactement ce qu'elle voulait. Prise d'une impulsion subite, elle fouilla plusieurs tiroirs et dénicha un châle brodé qu'elle noua autour de sa taille, en biais. Puis elle releva ses cheveux fauves en chignon et glissa sur son oreille une rose empruntée à l'un des vases. L'impression d'ensemble était encore assez provocante, mais du moins elle tenait plus au côté folklorique qu'au côté « vamp ».

Le baron ne se montra pas pour l'escorter au bas des marches. Ce fut au contraire le domestique qui vint annoncer, quelques minutes plus tard, l'heure du dîner. Détendue et relativement confiante, Tara le suivit au travers d'un vaste hall dallé, dont le plafond très haut se perdait dans l'obscurité, jusqu'à une minuscule petite pièce agréablement meublée. Elle s'ouvrait sur le patio par une porte-fenêtre entrebâillée, laissant pénétrer la douce fraîcheur du soir.

A son entrée, Federico tourna vers elle des yeux graves. Il souleva légèrement le verre de vin qu'il tenait à la main, comme pour porter un toast.

— Je suis heureux d'avoir votre compagnie pour le repas, dit-il doucement. Je déteste les femmes qui font la tête.

Elle accepta gracieusement le verre qu'il lui tendait, tout en prenant soin de ne pas toucher sa main fine et tannée, ornée d'une chevalière à ses armes.

— Il est absolument délicieux, commenta-t-elle après avoir bu une gorgée.

— Il vous aidera à trouver le sommeil... ironisa-t-il en la regardant fixement.

Tara soutint un instant ce regard puis baissa les paupières et alla s'asseoir sur un fauteuil pour dissimu-

ler son trouble. Elle croisa les jambes, agita machinalement l'une d'elles puis ne put s'empêcher de rougir en
se rendant compte que les yeux du baron s'étaient posés
sur ses chevilles. La bride ornée de strass de ses
sandales mettait en valeur leur extrême finesse

— Actuellement, commença-t-il soudain comme s'il
poursuivait une conversation, nos vignobles locaux ne
reçoivent pas toute la considération qu'ils méritent. Le
climat ici est pourtant idéal pour certains crus... J'ai
l'intention de remédier bientôt à cette injustice.

— Vous ? fit-elle d'un ton légèrement incrédule, en
battant des cils.

— Mais oui. La maison des Cortes dirige l'une des
plus anciennes compagnies de producteurs de vin
maltais. Je veux la moderniser, la rendre plus dyna-
mique.

Le repas fut servi sur une petite table ornée de
bougies. Tara avait du mal à avaler la délicieuse
nourriture disposée dans son assiette mais elle se
promit de féliciter la cuisinière comme il convenait. Les
deux convives mangèrent sans échanger une parole, et
après avoir bu sa tasse de café, la jeune femme se leva
avec soulagement pour prendre congé du baron. Elle
n'avait pas osé remettre sur le tapis le sujet du
divorce...

Une fois dans sa chambre, elle se déshabilla et se
glissa dans les draps frais. Son regard suivait machinalement les amours brodés sur les rideaux de dentelle
qu'une brise légère soulevait. Si Federico possédait des
vignobles, songea-t-elle soudain, sa situation pécuniaire
n'était peut-être pas aussi désastreuse qu'elle l'avait
cru... A moins, bien entendu, qu'il n'ait exagéré
l'importance de son entreprise. Sur cette dernière
pensée, elle bâilla et sombra dans le sommeil.

Tout à coup, un léger bruit lui fit ouvrir les yeux.
L'Irlandaise se redressa vivement, s'efforçant de percer
l'obscurité. Un cri étouffé lui échappa ; l'homme se

tenait debout près du lit. En une seconde, il avait ôté sa robe de chambre et s'allongeait à côté d'elle. Sans lui laisser le temps de protester, il l'enlaça et la maintint fortement dans une étreinte d'acier.

Pendant un moment interminable, Tara se débattit, essayant de se dégager, tournant la tête d'un côté et de l'autre pour échapper aux baisers insistants de son compagnon. Des larmes de rage impuissante ruisselaient le long de ses joues. Au bout de quelques instants, épuisée, elle reposa sans forces dans les bras de l'autre. Il murmurait d'une voix douce des paroles consolantes, un peu incohérentes... Puis son désir l'emporta, ses caresses se firent plus précises et plus exigeantes. La jeune femme, comme dans un rêve, se laissa emporter vers un point de non-retour qu'à sa grande surprise elle savourait comme un fruit étrange et inconnu.

4

Dès l'aube, Tara s'était levée pour aller se plonger dans la piscine où frémissait une eau turquoise et rafraîchissante. Son corps s'y détendait, dans une sensation apaisante, mais rien ne venait calmer la fureur de son esprit tourmenté de regret, de dépit et d'incrédulité.

Elle se mit sur le dos et se laissa porter, les yeux fermés pour éviter les rayons d'un soleil éblouissant. Malgré tous ses efforts, elle ne parvenait pas à oublier qu'elle s'était éveillée dans les bras du baron et qu'elle avait passé une nuit entière, passionnée, en compagnie d'un homme dont la seule présence, d'ordinaire, la faisait frémir de haine et de mépris.

Une grimace de dégoût vint déformer l'expression sereine et détachée qu'elle aurait voulu conserver sur son visage. Elle n'osait pas se rappeler en détail tous les incidents de la veille. Certains moments avaient paru magiques, ensorcelants, comme si on l'avait hypnotisée... Federico était un sorcier, un homme diabolique ! Sinon, comment aurait-il pu inhiber aussi complètement la volonté de sa compagne, l'amener à se conduire d'une façon semblant incompréhensible à la lumière du jour ? Elle avait répondu au moindre de ses gestes, sans hésiter, sans protester... Elle ne se connaissait pas, jusque-là, ce tempérament de libertine !

Un sanglot s'étrangla dans sa gorge. Incapable de supporter une introspection plus approfondie, elle regagna en quelques brasses le bord de la piscine. Il fallait s'abriter, se cacher quelque part, comme le ferait un animal blessé désireux de lécher ses plaies...

Comme Tara agrippait la première marche de l'escalier une main se tendit devant elle pour l'aider à remonter. Elle leva les yeux et rencontra ceux de Federico. Il souriait légèrement, son corps lisse et bronzé moulé dans un maillot de bain. Son attitude nonchalante, sa souplesse féline évoquaient une sorte de divinité solaire attendant les hommages des simples mortels...

La jeune femme baissa les paupières, négligea la main tendue et se hissa sur le rebord de céramique. D'un mouvement vif, elle ramassa son peignoir en éponge vert bronze et s'en drapa, nouant fermement la ceinture autour de sa taille. Elle se sentait dans l'état d'esprit d'une victime que l'on a entièrement dépouillée mais qui se raccroche dans un dernier geste absurde à ses ultimes possessions.

Le baron la contempla de haut en bas, la lèvre moqueuse, et laissa tomber d'une voix mélodieuse :

— Vous ressemblez à la nymphe Calypso. Elle vivait sur cette île, d'après la légende, et avait offert l'immortalité à Ulysse s'il acceptait de demeurer auprès d'elle... Apparemment, le charme de la nymphe était si grand qu'il fallut des années au malheureux avant de trouver le courage de s'éloigner d'elle. Seriez-vous Calypso réincarnée, ma chère ?

— Et vous, riposta-t-elle, vous prenez-vous pour le héros de l'Odyssée ? La comparaison me paraîtrait assez juste. Ulysse, d'après Homère, était avant tout un personnage rusé et plein d'artifices.

Federico s'approcha d'un pas. Une lueur légèrement menaçante s'allumait dans son regard.

— Combien de temps continuerez-vous à prétendre

que vous me détestez ? questionna-t-il sèchement. Pourtant, la nuit passée...

Il s'interrompit un instant, et le chant des oiseaux lui-même sembla s'arrêter momentanément.

— La nuit passée s'est parfaitement déroulée, reprit-il. Le nierez-vous ? Notre amour est comme la graine fragile d'une plante exotique. Permettez-lui de s'épanouir et de vivre, Tara, ne le piétinez pas avec une obstination injustifiée et dérisoire...

La jeune femme se raidit, à nouveau submergée d'une colère froide. La pupille de ses yeux verts devint aussi minuscule qu'une tête d'épingle. Sa voix, lorsqu'elle répliqua, était sifflante :

— Notre « amour », comme vous dites, me paraît plutôt comparable à une mauvaise herbe, à une herbe empoisonnée qui n'aurait jamais dû voir le jour, monsieur Cortes ! Il est de ceux que l'on arrache le plus vite possible, avant de les voir contaminer un corps et une âme jusque-là parfaitement sains... Et je le détruirai, croyez-moi !

Son agitation croissait, et elle conclut en serrant les poings :

— J'obtiendrai le divorce, par n'importe quelle manière !

L'homme s'était préparé à rassurer et raisonner sa jeune épousée dont le désarroi, il le savait, venait en partie du fait qu'elle était totalement déconcertée de se découvrir les désirs et les réactions physiques d'une femme adulte. Mais il possédait une immense fierté et se rebellait contre le violent mépris de Tara. Il résista à la tentation de l'enlacer. Elle était encore trop fragile, trop peu consciente de sa sensualité naissante. Il fallait lui laisser le temps d'accepter progressivement ces rapports nouveaux avec son propre corps, de comprendre la passion comme une bénédiction et non une malédiction à redouter...

Il se croisa les bras sur la poitrine, les jointures de ses mains blanchissant sous l'effet de la colère.

— Ne me provoquez pas trop, petite tigresse, articula-t-il avec une lenteur calculée. Nous sommes unis par des liens sacrés jusqu'à ce que la mort nous sépare, et ces paroles ne doivent pas être prises à la légère. Que cela vous plaise ou non, vos nuits se dérouleront désormais en ma compagnie.

Soudain ému par les yeux hagards de la jeune femme, il expliqua d'un ton adouci :

— Ma conduite de la nuit passée ne s'est pas accomplie de gaieté de cœur, Tara, je vous l'assure. J'aurais préféré une épouse consentante, mais vous ne m'avez pas laissé d'autre choix que celui de la bataille... Cette lutte acharnée doit-elle vraiment continuer ? Ne pouvez-vous vous montrer lucide et accepter le simple fait d'être amoureuse ?

— La seule vertu que je puisse exercer à votre égard, répliqua-t-elle avec amertume, est celle de l'honnêteté. Je vous déteste de tout mon cœur, et si vous vous obstinez à ne pas vouloir me rendre ma liberté, je suis prête à tout pour vous obliger à changer d'avis.

Un silence bref, mais pesant, s'ensuivit.

— Comme vous voudrez, jeta-t-il enfin. Dans la mesure où la haine découle de la peur, je dois être en partie responsable de la situation... Mais si vous déterrez la hache de guerre, je dois m'incliner.

Il se détourna pour plonger dans la piscine et ajouta simplement :

— Ma seule consolation est de vous voir éprouver envers moi le plus durable des sentiments. L'amour peut virer à l'indifférence, voire au dégoût, mais la haine reste immortelle.

Sans attendre la réponse, il se jeta à l'eau avec un style parfait. Tara resta un instant debout, immobile, rouge de honte et de colère. Puis, brutalement, elle fit volte-face et courut vers la demeure. Pourquoi, alors qu'elle voulait demeurer calme et indifférente, se laissait-elle emporter à des explosions furibondes indignes d'elle ? Avait-elle totalement perdu le contrôle de ses émotions et de ses réactions ?

La jeune femme passa le reste de la journée dans sa chambre, refusant de prendre la moindre boisson ou la moindre nourriture. Elle avait pris un livre mais éprouvait des difficultés à se concentrer sur sa lecture. De temps à autre, elle levait les yeux et contemplait le paysage d'un œil vide, comme si elle cherchait dans l'azur un moyen de sortir de l'épouvantable situation dans laquelle l'avait jetée sa folle conduite... Lorsque le crépuscule s'amorça, teignant d'un rose mordoré les entrelacs de la dentelle, les battements de son cœur se précipitèrent. Elle courut vers la porte, décidée à la verrouiller à double tour, et s'aperçut à son grand désarroi qu'il n'existait ni serrure ni crochet. Le sang martelait ses tempes ; elle s'efforça de ne pas céder à la panique. Elle avisa un tabouret et le plaça devant le battant, puis s'assit dessus, consciente que son faible poids serait insuffisant pour décourager un intrus décidé... Cependant, elle y passa de longues heures, immobile, ses paupières se baissant parfois sous l'instigation du sommeil. Sans s'en rendre compte, elle s'endormit sur place. Lorsqu'elle rouvrit les yeux, elle retint un léger cri ; l'aube s'était levée. Federico ne s'était pas manifesté de la nuit...

Tara se laissa tomber lourdement sur son lit. Au soulagement se mêlait étrangement une sorte de mystérieuse déception.

Elle s'éveilla à nouveau alors que le soleil était très haut dans le ciel. Un profond soupir souleva sa poitrine ; il était ridicule de rester ainsi enfermée à bouder. Avec effort, la jeune femme se leva, fit sa toilette et descendit à la salle à manger. Pourvu que le baron ne remarque pas les larges cernes violets dévorant son visage !

Il était installé devant une tasse de café, un journal déployé devant lui. A l'approche de son épouse, il haussa les sourcils et ses pupilles s'amenuisèrent.

— Vous semblez épuisée, remarqua-t-il sèchement. Avez-vous souffert d'une insomnie ?

Elle ne répliqua pas, se bornant à accepter la chaise qu'il lui désignait, et se servit un café. Federico poussa dans sa direction un plateau de fruits et une série de toasts beurrés ; elle le remercia d'un bref signe de tête. Le Maltais présentait un aspect irritant de virilité, d'aisance et de bonne santé. Ses cheveux noirs, encore humides aux tempes de sa baignade matinale, étaient parfaitement coiffés. Il avait posé sur la table une main bronzée, fine, et sa large poitrine se soulevait régulièrement au rythme de sa respiration tandis qu'il s'accoudait pour tourner les pages de son quotidien.

L'Irlandaise dévora avec appétit les toasts délicieusement grillés. Elle mourait littéralement de faim... Le café, fort et odorant, lui procurait une sensation agréablement revigorante.

Ayant terminé sa lecture, son compagnon replia son journal et interrogea d'une voix neutre :

— Quels sont vos projets pour la journée ?

— Je... je ne sais pas exactement. Une promenade, peut-être...

— N'avez-vous pas l'impression qu'il est temps de mettre fin à tout ce non-sens ? Je ne désire pas, vous l'imaginez aisément, devenir l'objet d'intarissables commérages. Nous sommes donc obligés d'attendre un certain temps avant de rentrer à Malte... En conséquence, je vous propose de vous faire visiter Gozo. Après tout, même ma compagnie, aussi désagréable soit-elle, est préférable à la solitude.

Tara s'humecta les lèvres.

— Je ne vous accorde aucune confiance, balbutia-t-elle.

— Dans quel domaine, je vous prie ?

— Vous le savez fort bien. Je vous crois incapable de ne pas...

Il ricana légèrement.

— Vous n'avez pas entièrement tort. Je ne saurais vous donner aucune garantie, surtout lorsque vous offrez le ravissant spectacle d'une jolie femme fraîche comme un bouton de rose... Venez, fit-il en se levant et en lui tendant la main. Suivez-moi.

Les jours suivants auraient paru absolument idylliques en toute autre circonstance. Tara passa des heures passionnantes à observer les vieilles dentellières des environs. Leurs doigts prestes manœuvraient sans se tromper parmi les dizaines de bobines de fil, encombrant leur minuscule métier. Le baron Cortes présenta sa femme à plusieurs habitants de l'île. Ceux-ci descendaient à la fois des Normands, des Espagnols et des Italiens. C'étaient des hommes petits, trapus et solides, profondément religieux. L'Irlandaise fut surprise par leur accueil chaleureux et ouvert ; les paysans de Gozo, comme leurs épouses, possédaient un sens très développé de l'hospitalité.

— Les industries sont peu florissantes, expliqua Federico. Les moyens manquent, le marché est quasiment inexistant...

Cependant, il conduisit la jeune femme dans plusieurs ateliers artisanaux. Fascinée, celle-ci put observer le travail du bois, la fabrication des cordages, la production du fromage et du vin...

— Il est très agréable de pouvoir parler dans ma langue natale avec ces gens, confia-t-elle. Les plus âgés s'expriment parfois dans un dialecte étrange, mais tous comprennent l'anglais.

— Ce dialecte est semblable au maltais, indiqua-t-il. C'est un mélange d'arabe et d'anglais, en quelque sorte. Il est surtout utilisé en famille.

Ils avaient repris la voiture et roulaient le long d'une route sinueuse, laissant parfois deviner dans une échancrure de falaise des plages immaculées bordées d'une paisible mer turquoise. Le conducteur s'engagea soudain dans un chemin descendant apparemment vers l'une d'elles. Aussitôt, Tara se sentit sur ses gardes. Jusque-là, le baron s'était montré parfaitement correct ; mais il ne lui avait fait aucune promesse... Elle rougissait fréquemment sous son regard brûlant, ses allusions et les rares moments où leurs mains se rencontraient.

Il négocia un virage avec soin. Le sentier se dirigeait sans aucun doute possible vers le rivage.

— Ne serait-il pas temps de rentrer ? demanda-t-elle avec nervosité. Paul et Maria vont s'inquiéter...

— Je leur ai donné un jour de congé, répliqua-t-il calmement. Ils en ont profité pour visiter leur famille... Mais ne vous inquiétez pas, petite gloutonne. Vous ne risquez pas de mourir de faim ! Il y a un panier de pique-nique dans le coffre, ainsi d'ailleurs que des maillots de bain et des serviettes. J'ai bien l'intention de nager. D'ordinaire, je me livre à cette activité dans le plus simple appareil, car c'est beaucoup plus agréable. Mais je ne veux pas choquer votre âme candide, et je respecterai les convenances.

Ses paroles attribuaient à la jeune femme une naïveté qu'elle jugeait parfaitement injustifiée. Le rose aux joues, elle riposta vivement :

— Je n'ai pas été élevée dans une pension obscurantiste, sachez-le. Je possède tout de même quelques notions de la réalité, et la mention de la *pilule,* par exemple, n'est pas pour me faire frémir.

Federico lui jeta un regard de biais et grimaça un sourire.

— Je vois, persifla-t-il. Vous êtes un pur produit d'une ère libérée, délivrée de préjugés anachroniques...

Il se moquait d'elle et Tara avala sa salive pour essayer de garder son sang-froid.

— Je n'irai pas jusque-là, expliqua-t-elle. Mais je

46

déteste les hommes de votre type. Ils classent les femmes en deux catégories ; soit un objet sexuel, soit une esclave domestique... Je trouve cela intolérable. Nous sommes des êtres complexes, dotés d'une véritable personnalité, pas des poupées de chiffon dont le seul but est de séduire leurs partenaires et que l'on peut exploiter à sa guise.

Malgré la vivacité de sa compagne, l'autre refusait de la prendre au sérieux. Il gara son véhicule puis glissa son bras autour des épaules de Tara et murmura :

— Ne méprisez pas trop les capacités de séduction de vos semblables... Vous-même possédez un charme irrésistible.

Ils descendirent à pied vers la baie. Les ronces encombraient l'étroit passage ; visiblement, il n'avait pas été utilisé depuis longtemps. Federico la précédait, écartant du chemin les branches les plus gênantes et écrasant les orties pour protéger leurs pieds, nus dans des sandales découvertes. Tara frémit en arrivant sur le sable. Une masse touffue de buissons et de bosquets dissimulait totalement l'anse aux regards. De la route, personne ne pourrait les apercevoir... Aucune voile ne passait à l'horizon. Une mer d'huile venait calmement mourir sur le rivage argenté, dépourvu de la moindre empreinte humaine. Pour un peu, on aurait pu se croire sur le récif le plus minuscule, le plus éloigné de toute civilisation des îles du Pacifique.

Croisant fermement les bras sur sa poitrine, la jeune femme décréta d'une voix mal assurée :

— Je n'ai aucune envie de nager, aujourd'hui. Si cela ne vous dérange pas, je m'étendrai simplement pour profiter un peu du soleil.

— Lâche ! répliqua-t-il avec un ricanement imperceptible.

Sans répondre, son interlocutrice ouvrit le panier et commença à disposer les éléments du pique-nique préparés par Maria, la femme de Paul. Il y avait un délicieux poulet aux herbes, du pain frais et craquant, des tomates juteuses... et une bouteille de vin rosé.

Federico, cependant, insistait pour l'entraîner dans l'eau avant le repas. Devant son refus obstiné, il disparut derrière un rocher pour se changer.

— Je n'en ai pas pour longtemps, annonça-t-il. Juste quelques brasses, et je viendrai vous rejoindre pour savourer les mets succulents que les dieux nous envoient.

Lorsqu'il réapparut, vêtu d'un mini-slip de bain aussi noir que ses yeux, Tara frissonna. Elle avait conscience du désir dansant dans les prunelles de l'autre... Elle se détourna rapidement, mais pas suffisamment pour dissimuler ses traits affichant une soudaine panique. Une panique étrange, jouant avec le moindre de ses nerfs, proche en fait des sensations éprouvées lors de la première nuit...

Le baron éclata de rire, et les derniers échos de sa voix se mêlèrent au jaillissement sonore de l'écume quand il se lança dans la mer.

Pendant un court instant, l'Irlandaise fut tentée de remonter la colline en toute hâte pour s'enfuir avec la voiture. Mais Federico, malgré sa baignade, ne la quittait pas du regard et elle en était consciente. La jeune femme ressentait une peur indéfinissable. Une voix obstinée lui répétait de se souvenir d'Aithne, de se montrer courageuse...

L'homme revint s'asseoir à côté d'elle, ruisselant d'eau. Il attaqua avec appétit une cuisse de poulet. En le voyant ainsi détendu, presque juvénile, un verre de vin à la main, Tara finit par oublier ses craintes. Cependant, au bout d'un moment, alors qu'elle contemplait pensivement l'horizon, son compagnon posa soudain son verre, se pencha et déposa un baiser fugace sur le genoux de la jeune femme.

— Tara ! chuchota-t-il d'une voix rauque.

Aussitôt, elle sursauta et se raidit, mais il l'avait déjà

allongée sur le sable et sa bouche cherchait la sienne avec passion...

« Souviens-toi d'Aithne ! » répéta aussitôt la voix dans l'esprit de l'aînée des O'Toole. Des larmes perlèrent à ses paupières, son corps se tendit, résistant à la passion à laquelle elle avait déjà succombé...

Federico tenta en vain de susciter en elle une réponse, une tendresse. La magie étrange de leur nuit de noces avait fait place à une sorte de cauchemar. Tara restait totalement passive. La colère de l'homme s'accroissait, son dépit le rendait furieux...

Au bout de quelques minutes, il se détourna, le visage sombre.

— Vous êtes peut-être novice en amour, ma chère, lança-t-il d'un ton cinglant. Mais vous n'ignorez rien de l'art de châtier !

Soudain seule, la jeune femme ferma les yeux, submergée de désespoir. Une souffrance proche de la torture lui serrait la gorge, intolérable et paraissant ne jamais devoir prendre fin.

5

Aithne et Ronald O'Toole étaient arrivés à Malte.
Paul, le serviteur, l'avait appris par un message télé-
phonique. Il fit part de la nouvelle au maître de maison
qui lui-même l'annonça à sa femme le lendemain matin,
au petit déjeuner.

— Votre père et votre sœur ont atterri hier soir dans
la capitale. Pour le moment, ils ont pris des chambres
dans un hôtel, mais naturellement nous nous devons de
les héberger. Leur venue inopinée nous fournit une
excellente excuse pour écourter notre... « lune de
miel ». Aujourd'hui même, nous retournerons dans ma
villa de Valetta. Je vais prévenir mes domestiques de
préparer les appartements.

Le visage livide, Tara ne leva pas les yeux et continua
à beurrer un toast dont elle n'avait plus aucune envie.
Le baron semblait en fait soulagé de leur prochain
départ. Il s'était montré, dès le début du petit déjeuner,
d'une froideur inaccoutumée, et éprouvait même des
difficultés à soutenir le regard de sa compagne. La
raison de cette attitude n'était pas difficile à supputer ;
l'orgueil de l'homme avait été profondément blessé. La
veille, il avait déployé des efforts surhumains pour
tenter d'adoucir une épouse dont il recherchait passionnément l'amour. Et il avait été terriblement, irrémédia-
blement déçu... L'Irlandaise n'arrivait même pas à

savourer le fruit de son amère victoire. Celle-ci était pourtant bien réelle ; pour la première fois de sa vie, Federico Cortes se voyait rejeté implacablement. Ses traits tirés portaient la marque du douloureux fardeau que lui infligeait le mépris de la jeune femme.

— Maintenant, si vous voulez bien m'excuser, lança-t-il négligemment, je vais vous laisser terminer votre petit déjeuner et prendre toutes les dispositions pour notre départ.

Tara le regarda quitter la pièce, son toast intact à la main. Dès sa plus tendre enfance, elle avait eu l'habitude de réagir à ses sentiments de culpabilité par une violente colère, et cette fois-là son tempérament emporté ne lui fit pas défaut. « Quelle attitude typique du personnage ! songea-t-elle avec fureur. C'est lui le coupable, moi la victime, et il a le front de renverser la situation. Pour un peu, il m'accuserait de l'avoir humilié ! Il m'a épousée pour ma fortune, et n'a aucun droit à mettre en avant son soi-disant orgueil. C'est intolérable ! Je ne céderai plus à aucune de ses pressions... »

En fin d'après-midi Federico la fit monter dans son bateau et ils prirent rapidement le chemin du large. Sur le port de Malte, une voiture les attendait. Ils s'y installèrent et l'homme démarra en trombe sans prononcer la moindre parole.

Tandis que le véhicule se frayait un passage dans les ruelles encombrées de chalands, le long des boutiques et des églises baroques, la jeune femme se demandait laquelle des demeures de Valetta appartenait à son époux. Au bout d'un moment, il s'engagea sous un porche dans la cour pavée d'un magnifique hôtel particulier et sa compagne reconnut, au-dessus de l'escalier monumental, le blason des Cortes.

Au pied des marches, la silhouette replète de la gouvernante les attendait en gesticulant d'excitation.

Folle de joie de la revoir, Tara glissa sa tête par la vitre de sa portière et s'écria :

— Bridget, ma chère Bridget, je suis si heureuse de te retrouver !

Elle se précipita hors de la voiture et courut vers les bras grands ouverts de la vieille dame.

— Bonjour, ma chérie, murmura celle-ci d'une voix émue. Mais... es-tu vraiment en train de pleurer ?

Elle jeta un coup d'œil féroce en direction du maître de maison.

— Ce sont des larmes de bonheur, j'espère. Sinon, le responsable devra me rendre des comptes !

Tara avala sa salive et déploya un effort monumental pour sourire.

— Ne t'inquiète pas, protesta-t-elle. Je... je suis simplement bouleversée à l'idée de retrouver ma famille. As-tu parlé avec mon père ? Avec Aithne ? Comment se portent-ils ?

Tout en bavardant avec Bridget, elle pénétra dans la demeure. Un hall de dimensions respectables, orné de tableaux et de porcelaines de prix, s'ouvraient sur de nombreuses salles, mais la jeune femme remit à plus tard son inspection. Elle suivit directement la vieille dame à l'étage.

La pièce était fort vaste, moquettée d'un mur à l'autre et admirablement meublée.

— Nous sommes dans ton salon, annonça fièrement la gouvernante. Cette porte, à droite, mène à la grande chambre. A gauche, tu trouveras la salle de bains et au-delà une seconde chambre à coucher, plus petite — qui peut servir de dressing-room. Naturellement, j'ai uniquement préparé le grand lit.

Elle se dirigea vers la fenêtre pour lever les stores mais sa compagne demanda d'une voix suppliante :

— Je t'en prie, laisse-nous dans l'obscurité, si cela ne t'ennuie pas. Je... j'ai une légère migraine.

Consciente du regard inquisiteur de son interlocutrice, elle s'assit nonchalamment sur un canapé couvert de velours vert amande. Parcourant des yeux le décor de ses nouveaux appartements nuptiaux, elle tapota le coussin placé à côté d'elle.

— Viens me rejoindre, Bridget, et raconte-moi en détail l'arrivée de Ronald et de ma sœur. Qu'est-ce qui leur a donné l'idée de se rendre à Malte ? Et quelle a été leur réaction en apprenant mon mariage ?

Son interlocutrice s'adossa confortablement, heureuse d'avoir l'occasion d'un long bavardage.

— C'est précisément l'annonce de la cérémonie qui les a décidés à entreprendre le voyage. Apparemment, ta photo et celle de M. Cortes ont paru dans tous les journaux. T'imagines-tu cela, ma chérie ? Ton portrait sur toutes les tables du monde entier, à l'heure du petit déjeuner... Ton mari est en fait un personnage extrêmement connu. Ton père, bien sûr, était absolument sidéré par la nouvelle.

— Et... Aithne ?

— Je l'ignore, admit l'autre. Je ne l'ai pas encore vue. Mais le baron les a conviés tous deux à dîner, ce soir, et tu pourras juger par toi-même. Ronald...

Elle s'interrompit ; Federico venait d'entrer dans la pièce. Elle se leva et lui adressa une courbette respectueuse. Il lui sourit, lui fit comprendre d'un geste qu'elle devait se retirer, et après son départ s'assit sur un fauteuil situé exactement en face du canapé.

— Comment trouvez-vous votre nouveau foyer ? questionna-t-il d'un ton égal.

Irritée par sa propre nervosité, Tara répliqua avec chaleur :

— Je suis loin d'être satisfaite ! Je ne vois pas du tout pourquoi nous devrions partager la même chambre à coucher !

— Le même appartement, corrigea-t-il calmement.

— Ne coupez pas les cheveux en quatre, jeta-t-elle. Je désirerais vivement posséder une chambre à part.

L'autre haussa les sourcils et sa bouche se serra, mais il poursuivit sans se départir de sa sérénité :

— Comme je vous l'ai dit, j'ai invité votre père et votre sœur à séjourner ici aussi longtemps qu'ils le souhaitent. Malheureusement, un grand nombre de pièces de cet hôtel sont inutilisables pour le moment. En conséquence, vous et moi serons obligés de partager cette suite, car il n'y en aura aucune autre de disponible. Naturellement, il existe une autre raison à cette obligation, mais je n'ai nul besoin de l'expliciter.

— Précisez-la tout de même, je vous en prie, insista-t-elle d'un ton froid.

— Si vous le souhaitez... Je n'éprouve simplement aucun désir de laisser soupçonner à votre famille l'état désastreux dans lequel se trouve notre relation. Certes, tous les jeunes mariés connaissent des désaccords ; c'est une situation qui n'a rien d'extraordinaire, et votre père, s'il la connaissait, se montrerait, j'en suis sûr, parfaitement tolérant. Cela dit, je déteste faire étalage de mes problèmes personnels, et je vous supplie de me donner votre promesse de ne pas vous permettre la moindre allusion à notre différend.

— Je ne vous promettrai rien de tel ! riposta-t-elle en sautant sur ses pieds. Car j'ai la plus ferme intention de demander conseil à mon père sur un divorce, et ce dès son arrivée !

Avec une grimace d'amertume, elle ajouta :

— Il est parfaitement expert en cette matière, pour s'être lui-même séparé de trois épouses successives.

— Je comprends mieux, jeta Federico d'une voix glaciale, pourquoi sa fille éprouve aussi peu de respect pour la sainte institution du mariage.

— Et vous-même ? Malgré les apparences, votre seul but en m'épousant était de profiter de ma fortune et de mon prochain héritage. Oserez-vous le nier ? Me croyez-vous assez naïve pour être convaincue de votre amour sincère envers moi, quelques semaines seulement après avoir abandonné ma sœur ?

Le baron se leva à son tour et se mit à arpenter la pièce d'un air exaspéré. Les rayons obliques du soleil, filtrés par les stores, soulignaient le relief impérieux de son visage tendu.

— Ecoutez-moi, grommela-t-il. Il ne s'est jamais rien passé avec votre sœur, vous m'entendez ? Je ne la désire pas plus que je ne désire votre argent !

Tara écarquilla les yeux, frissonnant devant ce soudain accès de violence. Mais l'homme s'était déjà calmé et il s'approcha d'elle d'un pas vif. Lorsqu'il l'enlaça avec tendresse, déposant sur sa tempe un léger baiser, elle était trop abasourdie pour songer à s'écarter.

— Souvenez-vous de notre nuit de noces, chuchota-t-il. Souvenez-vous de notre bonheur, de notre passion partagée, de notre découverte... Comme j'ai adoré, alors, ma jeune épouse fraîche et innocente, hardie et timide tout à la fois ! A ce moment-là, vous ne me haïssiez pas, Tara, pas tout le temps. Admettez-le, montrez-vous honnête envers moi... et envers vous-même.

Sa supplique résonnait dans l'esprit de la jeune femme. Elle vacilla, comme prise à nouveau dans le filet magique d'une étrange toile d'araignée, dans un rêve mystérieux obscurcissant sa révolte, sa colère, et même l'image d'Aithne...

Aithne ! Juste à temps, elle se ressaisit. Rendue enragée par sa propre faiblesse, elle éclata dans une vigoureuse diatribe :

— Votre technique pour séduire les âmes candides est admirable, persifla-t-elle. Mais elle n'exerce aucun effet sur moi. Je vous en prie, rendez-moi ma liberté avant de vous lasser de votre propre jeu...

Une trace de rougeur s'alluma sous le bronzage de son interlocuteur — preuve qu'il n'était pas totalement insensible. Puis son expression afficha à nouveau un

55

profond dédain. La jeune femme tremblait d'appréhension, mais il ne parut pas s'en apercevoir.

— Vous dépassez les bornes, affirma-t-il d'une voix coupante. Méfiez-vous... Je suis capable de vous enseigner la discrétion à vos dépens.

Restée seule, Tara essaya en vain de prendre un peu de repos. Elle était en train de se changer pour le dîner lorsqu'Aithne fit son apparition.

Elle était vêtue d'une ravissante robe bleu pâle et la masse mousseuse de ses cheveux blonds reposait en vagues sur ses épaules. Son visage paraissait angélique, mais à cet instant il était déformé par une grimace méprisante.

Les mots de bienvenue s'étranglèrent dans la gorge de sa sœur aînée. L'autre s'était adossée à la porte et lui jetait un regard vindicatif.

— Ainsi, tu as de nouveau employé la même tactique ! lança avec fureur la nouvelle venue.

— La même tactique ? répéta Tara sans comprendre. Je ne saisis pas...

— Vraiment ? C'est pourtant assez clair... Dois-je t'apprendre que tu as passé ton existence à séduire tous mes prétendants ?

La baronne Cortes ouvrit de grands yeux, totalement éberluée par l'accusation.

— Ne prends pas la peine de nier ! cria Aithne en tapant du pied.

Elle ressemblait de plus en plus à une enfant capricieuse et mal élevée. Sidérée, sa sœur se laissa tomber sur le canapé.

— Durant des années, poursuivit la cadette, j'ai dû supporter tes moqueries sur mon incapacité à garder mes soupirants plus d'un certain temps. Pourtant, c'était uniquement de ta faute ! Tu t'empressais aussitôt de me les souffler sous le nez, sans aucune considération... Une demi-heure en ta compagnie était suffisante pour que je perde tout intérêt à leurs yeux. Tu aimais exercer ton pouvoir, donner la preuve de ta séduction, sans aucun respect ni pour moi ni pour les malheureux dont tu ne faisais rapidement plus aucun cas !

— Aithne ! cria Tara, épouvantée.

Comment sa sœur chérie, la fillette qu'elle avait choyée et protégée tout le long de son enfance, s'avérait-elle capable de proférer de telles énormités ?

— Tout ceci est faux, voyons ! gémit-elle. Tu le sais fort bien !

Aithne renifla avec mépris et éructa :

— Dans ce cas, comment expliques-tu ta présence ici ? L'île de Malte, il me semble, n'a jamais eu aucun attrait pour toi jusqu'au moment où je t'ai confié l'existence de Federico et mes sentiments pour lui...

— Ma... ma venue dans cette maison doit paraître étrange, effectivement, acquiesça sa sœur d'une voix tremblante.

Elle croisa et décroisa nerveusement les jambes, bouleversée par la haine d'une cadette dont elle croyait être affectionnée.

— Cependant, reprit-elle, je peux tout expliquer. Assieds-toi...

L'autre prit place sur un fauteuil, le visage fermé. Elle examinait avec attention les traits de Tara et devait s'avouer que malgré ses cernes et son air las la jeune baronne rayonnait encore de beauté. Ses longs cils ombraient délicatement son teint d'ivoire et ses cheveux roux étaient rassemblés en un chignon particulièrement élégant.

— Toute ta vie, tu as toujours obtenu ce que tu désirais, déclara-t-elle avec amertume. Même l'héritage de grand-mère Roney, trop soucieuse de toi et de votre ressemblance pour me laisser le moindre centime...

— C'était parfaitement injuste de sa part, je ne le nie pas une seconde. Cela dit, j'ai toujours eu l'intention de partager cette fortune avec toi, tu le sais fort bien.

Imperceptiblement radoucie, Aithne hocha brièvement la tête.

— Je suis effectivement venue à Malte pour rencontrer le baron Cortes, expliqua Tara. Mais c'était dans un but tout à fait particulier... Je voulais le punir pour avoir tourné la tête d'une jeune fille naïve, sans défense, et pour avoir honteusement profité d'elle.

Sa sœur fit mine de l'interrompre, mais elle poursuivit :

— Tu ne dois ressentir ni honte ni embarras, Aithne. Federico est connu pour ses capacités de séduction. J'en ai moi-même fait les frais... Dieu merci, cela n'a pas duré.

— Comment, cela n'a pas duré ? Mais tu l'as épousé, il me semble !

— Oui... par erreur.

— Je ne comprends plus !

— Mon intention était d'exprimer mon refus au pied même de l'autel. Mais je me suis laissé impressionner par l'atmosphère, les chants... et je n'ai pas pu. Sans avoir le temps de m'en apercevoir, je me suis retrouvée baronne...

Aithne resta absolument immobile, le teint livide. Elle ne mettait pas en doute la parole de l'autre ; Tara l'avait habituée aux audaces les plus extravagantes, et ne mentait jamais. Durant leur enfance, c'était l'aînée qui faisait franchir les barrières de l'enclos à son cheval, qui se lançait sans hésiter aux commandes d'un avion de tourisme, qui traversait des rivières tumultueuses dans le simple but de gagner un pari... Une fois même, à l'insu de Bridget et de Ronald, elle avait risqué de se casser le cou en sautant à parachute.

— Tu es totalement inconsciente ! soupira la cadette. Tu as dû d'ailleurs avoir largement le temps de t'en rendre compte...

Une idée soudaine lui traversant l'esprit, elle se pencha et ajouta :

— Federico est-il au courant?

— Naturellement! répliqua l'interpellée avec dignité.

Aithne s'humecta nerveusement les lèvres.

— Et... comment a-t-il réagi lorsque tu l'as accusé de m'avoir séduite?

— Il a commencé par nier, bien sûr. Pouvait-il agir autrement? En fait, il a même tenté de me convaincre qu'il ne t'avait jamais rencontrée. J'ai répliqué à cette absurdité que je préférais me fier à ta parole plutôt qu'à la sienne.

Aithne émit un son étranglé et son visage devint écarlate. Spontanément, sa sœur vint se pencher sur elle pour tenter de la consoler. Elle enlaça les frêles épaules avec affection.

— Tu seras vengée, je te le promets, Aithne. Dès que possible, j'obtiendrai un rendez-vous avec père afin de lui demander conseil en privé sur les procédures à suivre pour mon divorce. La famille du baron est ruinée, et il connaît apparemment des difficultés financières; j'ai donc essayé de lui arracher son accord en lui offrant de l'argent, mais il a refusé. Cette attitude peut paraître surprenante; mais ici, à Malte, le divorce est considéré comme un véritable péché capital. Federico est bien trop fier pour affronter le moindre scandale. D'après lui, il est hors de question de nous séparer, quelles que soient les circonstances...

Elle se leva et ajoua en martelant ses mots:

— Mais je suis prête à tout essayer. Père m'a souvent démontré que l'argent permet toujours de parvenir à ses fins... L'héritage de grand-mère Roney viendra à point pour me libérer de cette entrave et me donner la possibilité de retrouver ma liberté.

Elle se demanda pourquoi l'autre lui adressait un long regard, presque énigmatique. La plus jeune des deux O'Toole ouvrit la bouche pour parler, mais Tara ne lui en laissa pas le temps. Elle consulta sa montre et s'écria :

— Mon Dieu ! Nous risquons d'arriver en retard pour le dîner... Nous devrons remettre à plus tard la suite de notre discussion. Ne t'inquiète pas trop de cette entrevue avec le baron...

Elle posa une main rassurante sur le poignet de son interlocutrice et conclut :

— La situation sera certainement embarrassante, mais je serai à tes côtés, ne l'oublie pas. Tu peux compter sur mon soutien.

6

Le dîner du soir devait uniquement rassembler les membres de la famille. Federico et Ronald O'Toole étaient donc seuls lorsque Tara et Aithne pénétrèrent dans la pièce. Le verre du baron était à moitié plein ; celui de son interlocuteur presque vide. Remarquant le visage empourpré de son père, l'aînée des deux jeunes filles le soupçonna d'en être déjà à son deuxième ou son troisième apéritif. Elle fronça les sourcils, mais se dérida lorsque l'homme ouvrit les bras et la serra contre lui en s'écriant d'une voix tonitruante :

— Tara ! Ma chère enfant !

Il la fit asseoir sur ses genoux, avala une gorgée et ajouta d'un ton moqueur :

— Alors, comme cela, on se marie sans demander l'avis de sa famille ?

Horriblement gênée, l'interpellée se leva et alla s'accouder un peu plus loin, contre la cheminée. Elle distingua une lueur amusée dans le regard du maître de maison, ce qui ajouta encore à sa confusion.

— Ceci dit, poursuivit son père avec magnanimité, je te pardonne. Je suis absolument charmé par mon gendre, et je te félicite de ton choix.

Tara dissimula un soupir. Ronald O'Toole était déjà, sans aucun doute, sérieusement éméché. La soirée promettait d'être particulièrement délicate... Sobre, le vieil Irlandais tendait à manquer de tact ; mais sous l'empire de la boisson, il pouvait se montrer carrément odieux.

Obligée de soutenir sa conversation, elle put seulement lancer un coup d'œil furtif vers Federico qui s'approchait d'Aithne pour lui offrir à boire.

— Un sherry ? proposa-t-il d'un ton neutre, sans paraître remarquer la pâleur de la nouvelle venue.

— Oui, je vous remercie, balbutia-t-elle.

Il lui tendit un verre, observant cette fois avec attention son expression embarrassée et son regard fuyant.

— A ce qu'il paraît, reprit-il sans sourire, nous nous sommes déjà rencontrés. Nous aurions même connu une relation assez intime...

La voix de son interlocutrice devint si faible que Tara perdit le fil de leur discours.

— Je vous en supplie, priait la cadette des O'Toole, ne me blâmez pas. Ma sœur a tendance à sauter bien vite aux conclusions... Certes, je dois l'admettre, ma petite vanité personnelle m'a poussée à raconter que, durant mon séjour à Malte, nous étions devenus très amis.

Elle avait adopté un ton minaudier et conclut en papillotant des paupières :

— Bien sûr, nous avions uniquement des relations de bon voisinage, vous et moi.

— Pardonnez-moi si je manque de galanterie, laissa-t-il tomber, mais pour ma part je ne me souviens même pas vous avoir jamais vue.

La sécheresse de sa voix fit monter le rouge aux joues de la jeune fille. Elle répliqua malgré tout avec effronterie :

— Nous nous sommes pourtant souvent trouvés invités aux mêmes cocktails... Ne vous rappelez-vous pas avoir dansé avec moi lors de l'anniversaire de M. de Marcos ?

— Non.

Cette négation brutale choqua Aithne, et elle revint momentanément à sa timidité initiale. Cependant, elle ne perdait pas espoir d'attirer à nouveau l'attention de cet homme si séduisant. Lors de sa précédente visite sur l'île, elle avait déployé des efforts considérables pour le suivre partout où il allait, s'attendant à chaque fois en vain à être remarquée par lui. Apparemment, elle avait totalement échoué, et il ne se rappelait même pas son visage... Mais cette fois, la conjoncture lui était beaucoup plus favorable. Tara semblait déterminée à divorcer, le baron finirait par se lasser d'une épouse indifférente... Et alors, songea Aithne avec un léger rire intérieur, il se tournerait dans une autre direction, la sienne !

La baronne en titre, de sa place, croyait le couple simplement engagé dans une conversation mondaine et banale. La phrase suivante de son mari l'aurait pourtant profondément intéressée si elle avait pu l'entendre. Les yeux brillants d'une lueur implacable, il questionnait avec froideur :

— N'avez-vous pas l'intention de détromper votre sœur, de la délivrer des fausses illusions où elle s'est enfermée quant à ma relation avec vous ?

Aithne se mordilla les lèvres. Elle se sentait sur de véritables charbons ardents. Son interlocuteur, visiblement, éprouvait un dégoût profond à être obligé de discuter ainsi de ses problèmes avec une étrangère. Le pli méprisant de sa bouche démentait la courtoisie suave de ses paroles.

— Croyez-moi, Federico, assura-t-elle en imitant de son mieux une compassion sincère, j'ai bien essayé de faire entendre raison à Tara, mais je n'ai pas réussi. Elle ne peut pas ou ne veut pas admettre qu'il y ait eu un... malentendu. Je m'étonne d'ailleurs qu'elle ne m'accorde pas plus de crédit...

Elle s'arrêta un instant, quêtant vaguement une approbation qui ne vint pas.

— J'aime tendrement ma sœur, poursuivit-elle avec componction. Mon plus cher désir est de vous venir en aide à tous les deux. C'est pourquoi, si j'osais, je me permettrais de suggérer...

Elle fit une pause diplomatique.

— Poursuivez, je vous en prie, intima-t-il d'un ton glacial.

— Eh bien... connaissant Tara comme je la connais, je la sais incapable d'apprécier un objet — et encore moins une personne — lorsqu'elle n'a pas lutté pour l'obtenir. Elle est décidée à demander le divorce...

Federico haussa les sourcils.

— Vous en a-t-elle donc parlé ?

Le pouls d'Aithne s'accéléra. Son auditeur blêmissait de colère ; il serrait son verre à le briser.

— Ne vous emportez pas contre elle, sussura la jeune fille. Ma sœur et moi avons toujours tout partagé, nous sommes de grandes confidentes. C'est pourquoi, comme je le disais, si vous désirez regagner son amour, la meilleure tactique serait de lui faire croire à votre indifférence.

— La rendre jalouse, en quelque sorte ?

Sa voix rocailleuse mit Aithne mal à l'aise.

— Cela supposerait de solliciter la coopération d'une autre femme, indiqua-t-il. C'est extrêmement embarrassant à tous les points de vue, vous vous en doutez certainement.

Son interlocutrice retint sa respiration. Le moment était venu de procéder avec habileté...

— A moins de trouver quelqu'un en qui vous puissiez placer toute votre confiance, quelqu'un qui serait désireux de réparer le tort causé par sa propre faute...

— Vous-même ? rétorqua-t-il avec une légère sur-

prise. Vous sentez-vous animée d'un esprit de sacri-
fice ?

Il ne refusait pas catégoriquement, et Aithne dissimula un sourire de triomphe.

— Je suis la sœur de Tara, souffla-t-elle d'un ton
angélique. Je suis prête à tout pour assurer son
bonheur.

Le dîner fut particulièrement réussi — au moins du
point de vue gastronomique. Des plats particulièrement
raffinés se succédaient, et chacun était accompagné
d'un vin choisi à bon escient. Au grand embarras de
Tara, Ronald O'Toole but beaucoup plus que tous les
autres convives. En outre, il commentait sans honte
aucune les crus défilant devant lui ; ce madère accom-
pagnait à merveille le consommé, ce bourgogne était
d'une tenue remarquable... Même au dessert, un
délicieux sorbet aux fraises, il insista pour que le baron
emplît à nouveau son verre.

— Mon cher ami, décréta-t-il en se renversant sur sa
chaise, le regard légèrement vitreux, je ne me fais
aucun souci pour l'avenir de ma fille. Votre cave révèle
en effet un homme de goût... Ce repas mêlait à la
perfection la qualité et la distinction. Or, ces deux
vertus sont essentielles à la bonne marche d'un
mariage !

L'intéressé accueillit le compliment d'un imperceptible haussement d'épaules.

— Je suis honoré de vous voir approuver mon choix,
répondit-il. Cela dit, en toute matière, l'expérience
acquise est souvent irremplaçable.

— Certes, certes, opina l'autre en souriant largement. Mais sachez aussi que vous possédez en Tara un
atout précieux... Sa beauté est renommée dans toute
notre région. Je ne saurais vous dire combien d'offres
alléchantes j'ai dû refuser de la part des prétendants les
plus huppés ! Mais mon aînée n'a jamais rien voulu
entendre. Il lui fallait un homme supérieur, capable de

dompter son tempérament fougueux comme celui d'une jeune jument...

Tout en s'efforçant de garder un visage impassible, la jeune femme était épouvantée. Son père faisait preuve de son manque de tact et de sa vulgarité coutumières. Dans le passé, elle n'y aurait prêté aucune attention, tant elle était habituée à ses plaisanteries de mauvais goût et ses vantardises d'homme pris de boisson. Mais ce soir, par contraste avec les manières exquises et raffinées du Maltais, Ronald O'Toole paraissait sous un jour particulièrement déplaisant. Il parlait trop haut et trop fort, son teint enluminé semblait de mauvais augure et ses mains même tremblaient de façon inquiétante. Tara était parfaitement consciente de l'animosité, dissimulée sous des dehors polis, que ressentait le baron en face de son hôte. Ses réponses courtoises contenaient une imperceptible note de sécheresse, ses yeux étaient encore plus énigmatiques que de coutume...

— Ma fille, reprit Ronald d'une voix pâteuse, est tout le portrait de feu sa grand-mère. Celle-ci était une maîtresse-femme, je ne vous dis que cela !

Il se pencha et se coupa maladroitement un morceau de fromage.

— Mm ! Délicieux, commenta-t-il la bouche pleine. Je reprendrais bien un peu de vin pour l'accompagner...

— Je ne vous le conseille pas, souligna Federico d'une voix coupante. Le vin blanc qui nous reste s'accommoderait fort mal au goût du roquefort.

Le vieil Irlandais parut très déconfit. Il s'essuya les lèvres en marmonnant et reprit son éloge de grand-mère Roney.

— Elle montait à cheval comme une déesse, je ne vous mens pas. On pouvait la voir traverser le village sur sa monture favorite, ses cheveux roux flottant fièrement derrière elle... Son mauvais caractère était réputé. Il ne fallait pas la contrarier !

Il éclata d'un rire gras avant de poursuivre :

— Dieu merci, son époux avait su l'apprivoiser. Ce vieux renard connaissait la manière ! Elle lui donnait du fil à retordre, mais il parvenait toujours à ses fins...

Tara, profondément gênée, rougit en surprenant le regard de Federico fixé sur elle. La comparaison entre sa jeune épouse et l'indomptable ancêtre irlandaise semblait l'amuser. Elle baissa les paupières ; heureusement, personne n'avait remarqué leur échange muet. Ronald était reparti dans de nouvelles descriptions. Incapable de supporter plus longtemps ses divagations, la baronne se leva et annonça :

— Passerons-nous au salon pour prendre le café ?

— Allez devant, toutes les deux, intima son père en agitant la main. Je veux d'abord bavarder un peu avec ton mari... Nous vous rejoindrons plus tard.

Dans l'état où il se trouvait, il était inutile de discuter. Tara et Aithne demeurèrent seules dans la pièce voisine. La plus âgée referma la porte avec nervosité et se mit à arpenter la pièce de long en large.

— Assieds-toi, je t'en prie, lança l'autre d'une voix traînante. Tu me donnes le tournis.

— Je dois absolument parler à Père, déclara sa sœur en fronçant les sourcils. Je ne voudrais surtout pas qu'il devienne ami avec Federico... Cela ne se justifierait absolument pas !

Elle finit par se laisser tomber sur un canapé, en face de sa compagne.

— Au fait, comment s'est déroulée ta confrontation avec le baron ? A-t-il continué à prétendre ne t'avoir jamais vue de sa vie ?

— Mais non, corrigea la cadette d'un ton léger. Nous avons même évoqué ensemble notre dernière rencontre, à l'anniversaire de M. de Marcos... Il m'avait invitée à danser presque toute la soirée

— Oh…

Pour une raison mystérieuse, Tara sentit soudain sa gorge se serrer de façon intolérable. Elle ne savait que répondre. Elle aurait été prête à jurer que son mari protesterait encore de son innocence, accuserait la blonde jeune fille de mensonge, voire même la confondrait et refuserait de l'accueillir plus longtemps sous son toit… Elle s'était préparée à toutes ces éventualités, mais pas à celle d'une rencontre amicale.

— Mais… comment peux-tu même supporter de lui adresser la parole? interrogea-t-elle d'une voix heurtée.

— Je l'aime! expliqua calmement Aithne. Cela m'est égal s'il est déjà ton époux. Je l'ai connu la première, j'ai donc la priorité sur ses sentiments.

Son menton se releva avec défi.

— Je suis même très heureuse que tu songes à le quitter… Car j'ai bien l'intention, moi, de devenir sa femme légitime pour toujours!

Elle se leva et déambula avec nonchalance, évitant soigneusement de croiser le regard horrifié de son interlocutrice.

— Après tout, reprit-elle d'un ton provocant, aucune loi n'interdit de s'unir à l'époux divorcé de sa sœur…

— Tu… tu n'oserais pas! haleta Tara.

— Bien au contraire, ma chère, persifla moqueusement sa jeune interlocutrice. J'oserai… et j'y arriverai.

La baronne Cortes se déshabilla avec lenteur, serra la ceinture de son peignoir et s'installa sur une chaise, devant la fenêtre. Elle avait demandé à Aithne de l'excuser auprès des deux hommes. Federico serait certainement contrarié de la disparition de sa femme, mais celle-ci se sentait incapable de rester une minute de plus en présence de sa sœur. Leur relation s'était totalement transformée. Tara avait découvert en sa cadette un manque de compassion et une impudence qu'elle trouvait profondément choquantes.

Cela dit, sa propre réaction la surprenait autant que celle de sa nouvelle rivale. Certes, elle avait épousé le Maltais en pleine connaissance de cause des sentiments qu'Aithne éprouvait pour celui-ci ; mais l'intention de la plus jeune des O'Toole de reconquérir celui qui l'avait bafouée était tout à fait surprenante. Ordinairement, cette dernière tendait plutôt à se consoler rapidement de ses échecs, auprès d'un nouvel admirateur... Et Tara s'était sentie extraordinairement bouleversée. Pendant un court instant, une révolte étrangement proche de la jalousie l'avait envahie... C'était ridicule. Après tout, ne serait-elle pas soulagée de se libérer et de laisser Federico et Aithne convoler si bon leur semblait ?

Durant un long moment, elle resta immobile, de plus en plus incapable dans son découragement de démêler l'écheveau confus et tourmenté de ses pensées. Puis, tout à coup, son esprit enregistra un bruit de pas le long du corridor voisin. Des pas lourds, trébuchants... qui appartenaient sans aucun doute possible à Ronald O'Toole !

La jeune femme courut à sa porte et l'ouvrit, juste à temps pour voir son père disparaître dans sa propre chambre. Sans hésiter, elle se précipita à sa suite et entra dans la pièce.

L'homme se tenait debout près du lit. Il vacillait légèrement mais leva la tête à l'apparition de sa fille.

— Bonsoir, ma chère enfant, lança-t-il d'une voix mal assurée. Es-tu venue aider ton vieux père à se mettre au lit ?

— Non, trancha-t-elle. Je voudrais vous parler... La situation est grave, et j'ai besoin de conseils sérieux.

— Oh ! gémit-il en se massant le front. Je ne suis pas d'humeur à soutenir une longue conversation... Aide-moi plutôt à retirer mes bottes, je te prie.

Tara se mordilla les lèvres, exaspérée, mais s'exécuta. Une fois Ronald confortablement drapé dans sa robe de chambre et installé sur un fauteuil, elle déclara !

— Je vous en prie... indiquez-moi comment je dois procéder pour obtenir un divorce.

L'autre lui décocha un regard éberlué et se redressa imperceptiblement. Les paroles de sa compagne semblaient l'avoir dessoûlé d'un seul coup.

— Je toucherai mon héritage dans quelques semaines, expliqua-t-elle, et je ne me soucie pas de la dépense. Que dois-je faire ? Je tiens absolument à divorcer...

Le vieil Irlandais esquissa une grimace furieuse.

— Quelles sont ces fariboles ? Tu ne sais pas ce que tu dis, ma fille. Ton mariage date d'à peine une semaine. Certains couples attendent parfois des années avant de parvenir à s'entendre... Fais donc preuve d'un peu de patience !

— Il est hors de question d'attendre, répliqua-t-elle le visage durci. Je veux me séparer de mon mari le plus vite possible.

— Mais pourquoi ? Que reproches-tu au baron ? Il me semble charmant, attentionné...

— Nos tempéraments sont incompatibles, jeta-t-elle brièvement. C'est une brute, et je le déteste !

Son père lui adressa un coup d'œil rusé.

— Ton affirmation ne manque pas d'intérêt... C'est la première fois que quelqu'un suscite chez toi des sentiments aussi violents. Es-tu sûre d'éprouver véritablement de la haine, et non une passion dévastatrice ? A mon avis, tu es trop surmenée actuellement pour faire la différence.

— Père, supplia-t-elle en serrant les poings, je vous demande votre aide, et rien d'autre. Me l'accorderez-vous ? Répondez-moi maintenant. Sinon, je trouverai d'autres moyens... Mon héritage me permettra de résoudre tous les obstacles.

A son immense surprise, son interlocuteur parut soudain profondément embarrassé. Il se tassa dans son siège et se croisa les mains avec nervosité.

— Tara... commença-t-il. Je dois t'avouer quelque chose...

— Oui ?

Un bref silence s'écoula, particulièrement pesant. Saisie d'un terrible pressentiment, la jeune femme insista d'une voix pressante :

— De quoi s'agit-il ?

— Je... c'est difficile. J'aurais dû te prévenir plus tôt, mais je n'en ai pas eu le courage...

Elle soupira, connaissant la tendance du vieil homme à toujours remettre à plus tard les tâches désagréables.

— Je vous écoute, dit-elle avec lassitude.

— Eh bien, ton... ton héritage... Je pensais bien faire en essayant de l'accroître au moyen de quelques opérations boursières...

— Et puis ? le pressa-t-elle, le cœur battant.

— J'ai tout perdu, avoua-t-il les épaules voûtées. Il n'en reste rien. Comme tu le sais, j'avais été nommé administrateur de tes biens jusqu'à ta majorité. Pendant longtemps, je ne me suis pas permis de toucher à ton argent. Mais on m'a parlé l'an passé d'un investissement particulièrement intéressant. Il semblait n'y avoir aucun risque...

Il avala sa salive avant de poursuivre les yeux baissés :

— Malheureusement, l'entreprise a fait faillite. J'ai alors tenté de tout regagner au jeu, sans espoir. Je me suis endetté jusqu'au cou... Autrefois, pourtant, j'avais toujours la main heureuse ! La chance m'a abandonné.

Avec un soudain éclat d'égoïsme et de mauvaise foi, il lança d'un ton accusateur :

— Toi et ta sœur étiez loin d'arranger les choses ! Je

n'ai jamais vu deux gamines aussi dissipatrices. Parfois, je me suis vu obligé de payer des factures chez le couturier qui atteignaient des sommes véritablement extravagantes !

Tara frémit de rage. Dans le compte des dépenses de son père, l'entretien de ses filles n'était certainement pas minime ; mais les pensions alimentaires de ses épouses successives et ses propres folies étaient incontestablement supérieures.

— Si nous nous sommes montrées extravagantes, répliqua-t-elle, les dents serrées, c'est parce que vous nous avez donné l'exemple, en nous laissant croire tout du long à votre fortune...

Un court instant, les deux interlocuteurs s'affrontèrent avec un regard de haine. Puis Ronald baissa à nouveau les yeux.

— Enfin ! soupira-t-il. Ma seule excuse, à l'origine, est d'avoir uniquement songé à ton propre bien. J'espère que tu comprends cela...

La jeune femme ne répondit pas. Elle soupçonnait fort, en fait, que son père avait utilisé l'héritage au moment où lui-même commençait à avoir des problèmes d'argent.

— Dites-moi franchement, interrogea-t-elle d'une voix glaciale. Combien reste-t-il ?

Comme à l'habitude, Ronald s'efforça de louvoyer.

— Euh... Je n'ai jamais été très doué pour économiser...

— Combien ? répéta-t-elle d'un ton implacable.

— Rien, admit-il sombrement. Nous sommes ruinés, totalement ruinés. Notre seul espoir, à présent... c'est ton mari.

— Federico ? Mais il ne possède aucune fortune !

— Détrompe-toi ! M. Cortes, ma chère enfant, est multimillionnaire.

7

Tara regagna sa chambre dans un état second. Les paroles de son père la laissaient hébétée. En ce qui concernait la richesse du baron, pourtant, elle aurait pu deviner plus tôt la vérité. Sans réfléchir, elle avait étiqueté l'homme comme un vulgaire coureur de dot uniquement attiré par l'aisance financière de ses conquêtes. De nombreux signes, pourtant, auraient dû l'éclairer ; le luxe du palais familial, de la demeure où ils séjournaient actuellement, celui de la villa de Gozo... Mais aussi les voitures, le bateau, tout un ensemble de détails qu'elle avait cru simplement destinés à jeter de la poudre aux yeux — et dont elle attendait la disparition progressive et qui, en fait, indiquaient de façon criante une immense fortune.

Elle se souvint en rougissant du moment où elle lui avait offert de l'argent pour accepter le divorce ; le geste avait dû beaucoup l'amuser. La jeune femme s'agita sur son lit, les mains moites. Les noms de plusieurs industries, aperçus dans les rues de Malte, lui revinrent à l'esprit ; les raffineries Cortes, les cargos Cortes, les entreprises de travaux publics, les agences immobilières... Auparavant, elle n'y avait pas prêté attention, le nom de « Cortes » étant relativement courant. A présent, il n'y avait aucun doute : tout cela appartenait à son époux.

Et Ronald O'Toole, conscient de tous ces faits, se préparait sans aucun scrupule à demander un emprunt à Federico! L'Irlandaise repoussait l'idée avec un violent dégoût. Elle se sentait profondément humiliée. Le Maltais s'était bien gardé de la détromper lorsqu'elle l'accusait d'être intéressé et devait rire en secret de sa naïveté.

Tara se tenait debout près de la fenêtre et serrait autour d'elle les plis de son peignoir. Tout à coup, elle fronça les sourcils; deux ombres venaient d'apparaître dans la cour, près de la fontaine. Elle se pencha, soupçonnant des rôdeurs, puis se rejeta brusquement en arrière lorsqu'un rayon de lune vint éclairer la silhouette des promeneurs. C'étaient Aithne et Federico. La jeune fille avait glissé son bras sous celui de l'homme et il inclinait son visage vers celui de sa compagne en souriant.

Une vague de colère submergea l'observatrice. Elle avait perdu son héritage, certes, mais les qualités de fierté, d'obstination et d'amour-propre léguées par sa grand-mère restaient intactes. Une impulsion irrésistible la poussait à se précipiter quatre à quatre dans les escaliers pour confondre les deux traîtres. Elle jeta un nouveau coup d'œil à l'extérieur; ils avaient disparu. Le rire cristallin d'Aithne se fit soudain entendre dans l'escalier. Tara demeura immobile, retenant sa respiration, guettant le moindre bruit... Un peu plus loin, une porte se referma, puis celle du dressing-room grinça sur ses gonds. D'un bond, l'Irlandaise traversa la salle de bains et pénétra dans la pièce où Federico venait d'entrer.

Il avait posé sa veste sur une chaise et dénouait sa cravate lorsque l'irruption de sa femme lui fit tourner la tête. Pendant un court instant, celle-ci hésita, subjuguée par la souplesse féline qui se dégageait de l'homme. Mais elle retrouva bientôt tout son sang-froid et attaqua d'une voix vibrante:

— Comment osez-vous vous conduire de manière aussi scandaleuse ? Je vous ai vu faire les yeux doux à ma sœur, juste sous mes propres fenêtres ! Ne l'avez-vous pas suffisamment tourmentée dans le passé ?

Imperturbable, son interlocuteur déboutonna calmement sa chemise et la posa sur son lit. Puis il ôta sa montre, tourna le remontoir et la plaça sur la table de chevet.

— Si mon épouse s'acquittait de ses devoirs conjugaux, je n'aurais nul besoin de rechercher des aventures extramaritales, riposta-t-il d'un ton traînant. Votre sœur est absolument ravissante, et surtout très bien disposée envers moi...

Un sourire cruel joua sur ses lèvres et il ajouta d'un ton moqueur :

— Cela dit, vous avez raison quant à vos fenêtres. A l'avenir, je ferai preuve de plus de discrétion.

— A l'avenir, rugit Tara en tapant du pied, vous n'approcherez pas d'Aithne !

Federico fronça les sourcils ; il détestait recevoir un ordre quelconque.

— Désirez-vous prendre sa place, par hasard ?

— Ne vous essayez pas au chantage, je vous en prie !

Soudain, il s'avança et saisit la jeune femme aux épaules pour la secouer sans tendresse.

— Votre flot d'invectives ininterrompues m'épuise, grogna-t-il. Vous osez venir me donner des leçons de morale, alors que vous-même, de sang-froid, avez combiné un plan machiavélique pour vous faire épouser d'un homme que vous prétendez détester... Vous rendez-vous compte de l'ampleur de votre mensonge ? Vous avez eu le front de vous agenouiller à côté de moi devant l'autel, de me jurer amour et fidélité ! Vous avez le visage d'un ange, mais vous maniez uniquement l'imposture et vous comportez comme une véritable furie ! Regardez donc vos propres méfaits avant d'accuser vos voisins à tort et à travers !

Ecarlate, furibonde, Tara s'écarta vivement. Jamais on ne lui avait lancé de telles insultes; l'outrage la laissait tremblante, déchirée.

— J'avais d'excellentes raisons de me conduire comme je l'ai fait, haleta-t-elle.

— Vos raisons ne sont autres que votre crédulité et votre tendance à croire n'importe quelle sornette, grommela-t-il. Je m'en veux de n'avoir pas deviné à temps votre duplicité. Vous prétendiez être amoureuse de moi, et pour mon malheur je n'ai pas su lire dans votre jeu... J'attribuais vos réticences à votre timidité et votre jeunesse. Mais j'ai bien vite perdu mes illusions! Vous ne valez guère mieux qu'une aventurière de bas étage!

La jeune femme restait debout, pétrifiée. Elle éprouvait un douloureux sentiment d'injustice.

— Vous croyez-vous blanc comme neige, pour votre part? riposta-t-elle d'une voix tremblante. Vous m'avez épousée alors qu'en bonne logique vous auriez dû vous marier avec ma sœur. En outre, vous m'avez laissé croire à votre pauvreté relative, alors qu'en fait...

Elle s'arrêta, la gorge nouée, incapable de poursuivre. L'atmosphère de la pièce semblait chargée d'électricité. Les deux adversaires s'observaient comme des ennemis mortels...

— Je n'ai jamais songé à vous dissimuler ma fortune, répliqua Federico. Je me préparais même à vous la révéler. Mais votre croyance obstinée que l'argent peut tout résoudre, fût-ce des problèmes aussi graves qu'un mariage raté, m'a amené à me taire sur ce sujet. Je ne vous blâme pas; votre éducation désastreuse n'a pas simplifié vos rapports avec la fortune. Personne, dans votre passé, n'a pris la peine de vous expliquer que le bonheur est totalement indépendant des revenus de tout un chacun, de la position sociale...

Il se tut un instant et conclut avec amertume:

— Je céderais volontiers tous mes biens pour connaître enfin la sérénité.

Un silence mélancolique s'abattit entre eux. Tara résistait de toutes ses forces à une furieuse envie de fondre en larmes. L'animosité, l'agressivité des instants précédents avaient disparu. Luttant avec des sentiments contradictoires de tristesse, de suspicion, de regret, la jeune femme refusait le désir confus de se réfugier dans les bras de son compagnon. Elle sentait le regard aigu de l'autre fixé sur elle.

— Tara… Vous étiez heureuse durant notre nuit de noces, je le sais, murmura-t-il. Si seulement vous changiez d'attitude, notre mariage pourrait être sauvé… Je m'éveille si souvent durant mon sommeil, maintenant, pour chercher auprès de moi le contact satiné de votre peau !

L'intéressée frémissait en se souvenant de la scène à laquelle il faisait allusion, et au cours de laquelle elle avait trahi la cause d'Aithne… Elle rassembla tout son courage pour exprimer un maximum de mépris et d'indifférence dans sa voix.

— Votre conception de cet épisode me déconcerte… Je me rappelle surtout votre brutalité et mon profond dégoût.

Elle ne disait pas toute la vérité, elle en était consciente, mais il était impossible d'agir autrement.

Un nouveau silence s'ensuivit, plus glacial, plus lourd que le précédent. La jeune femme n'avait pas besoin de lever les yeux pour savoir que ses paroles avaient touché droit au but ; Federico devait être douloureusement blessé dans son amour-propre. Une pendule, sur la cheminée, égrena quelques notes limpides. Le cœur serré, l'Irlandaise regretta soudain de ne pas s'être tue. La satisfaction de mettre un baume sur son orgueil lui procurait une victoire bien amère.

Le baron avança machinalement de quelques pas. Elle recula, craignant un geste de sa part, puis se rendit compte en rougissant qu'il cherchait simplement à gagner la porte.

Au moment de franchir le seuil, il se retourna et fixa sur son interlocutrice un regard torturé.

— Je vous promets solennellement de ne plus vous approcher dans le futur, Tara, déclara-t-il. Je ne vous imposerai plus aucune de mes exigences, jusqu'au moment...

Il fit une pause, tandis que l'autre avait l'impression que son cœur s'arrêtait de battre, et termina :

— Jusqu'au moment où vous viendrez à moi pour m'avouer de votre propre chef que vous m'aimez.

Cette nuit-là, Tara ne dormit presque pas, et des heures interminables s'écoulèrent avant que la pâle lueur de l'aube ne vint enfin éclairer la chambre. Elle avait réussi à convaincre Federico de lui épargner ses avances ; mais il refusait encore le divorce avec obstination... La seule solution, à présent, était de lui rendre la vie tellement impossible qu'il ne verrait plus d'autre issue et serait obligé de se résoudre à une séparation définitive.

Bridget, apportant le petit déjeuner, esquissa une grimace en trouvant la jeune femme seule dans son lit. Elle posa le plateau — préparé pour deux personnes — sur la table de chevet et alla ouvrir les rideaux avec une moue contrariée.

— Je ne te fais pas mes compliments, ma fille ! jeta-t-elle d'une voix acerbe. Tu négliges ton mari, et bien naturellement il se console avec ta propre sœur... Ils sont occupés à déjeuner ensemble et prévoient même une promenade pour la journée. Je te conseille de t'habiller rapidement et de descendre les rejoindre avant qu'Aithne n'ait réussi à le convaincre de partir sans toi !

L'interpellée baissa les paupières. Elle se demandait dans quelle mesure l'intuitive gouvernante devinait la gravité du problème... Mais préférant ignorer ses remarques, elle se borna à s'exclamer d'un ton faussement surpris :

— Est-il donc déjà si tard ? Je viens seulement de m'éveiller, je ne m'en suis pas rendu compte.

Elle ferma les yeux un instant, pour ne pas voir l'expression outragée de son interlocutrice, et ajouta :

— Je suis un peu lasse, je vais rester au lit encore un moment. Tu peux te retirer, Bridget.

— Ne laisse pas ton thé refroidir, répliqua l'autre l'air pincé.

Puis elle sortit la tête haute et claqua violemment la porte derrière elle.

Bien calée contre ses oreillers, la jeune baronne se versa sa tasse du liquide ambré et brûlant et remua pensivement sa cuillère. Elle avait décidé d'attendre le départ des deux autres et de se lever seulement à ce moment-là. Après tout, le sommeil l'avait fuie presque tout le temps et un léger repos lui permettrait d'oublier son immense fatigue. Cependant, elle ne parvint pas plus que la veille à se relaxer... Elle s'était tournée et retournée sans répit dans son lit, la tête serrée comme dans un étau, ne parvenant pas à comprendre comment le même homme pouvait symboliser à la fois une prison dont elle songeait à se libérer et le souvenir d'une nuit d'amour passionnée... La seule proximité de Federico suffisait à enflammer tous ses sens. Les yeux de l'homme témoignaient d'un désir inassouvi qui la faisait frissonner au plus profond d'elle-même. Tara avait gémi dans une demi-inconscience, s'efforçant en vain de chasser l'image des mains tendres et expertes qui lui avaient enseigné les premiers rudiments d'un art redoutable, le souvenir des baisers, des chuchotements...

Elle était si profondément absorbée dans sa mélancolique évocation qu'elle n'entendit pas les coups discrets frappés à sa porte. Lorsqu'elle leva soudain les yeux, son mari était debout près de son lit et souriait d'un air légèrement moqueur.

— Debout, petite paresseuse ! lança-t-il. Ne vous voyant pas venir, nous nous rongions d'impatience à votre sujet.

Son interlocutrice lui adressa un coup d'œil étonné. Toute trace de tension et d'agressivité avait disparu du visage du baron. Il semblait parfaitement détendu, très à l'aise dans son costume de toile fine bien coupé.

Spontanément, dans un geste plus révélateur qu'elle ne l'aurait souhaité, la jeune femme ramena ses draps jusqu'à son menton et tourna sa tête de l'autre côté.

— Je n'ai pas l'intention de sortir, indiqua-t-elle. Je ne me sens pas très bien. Si cela ne vous ennuie pas, je resterai ici.

— Mais cela m'ennuie beaucoup, au contraire, protesta-t-il gaiement.. Nous pensions nous rendre à la plage ; une journée au grand air vous procurera le plus grand bien.

— Je vous remercie, mais je n'ai vraiment aucune envie de bouger.

Federico se pencha, s'appuyant de ses deux mains sur le rebord du lit. Il observait avec attention la moue boudeuse de son interlocutrice.

— Venez, Tara, intima-t-il avec un calme contrôlé. Je suis prêt à vous entraîner de force.

— Je ne vous comprends plus, riposta-t-elle avec colère. Hier encore, vous promettiez de ne plus m'importuner !

— Il s'agissait de toute autre chose, vous le savez fort bien.

Un sourire ambigu étira soudain ses lèvres sensuelles.

— Je n'ai jamais prétendu ne pas vous tirer de votre lit pour vous habiller, vous coiffer et vous porter au rez-de-chaussée, dûssiez-vous crier de toutes vos forces... Ceci étant donné, vous aurez la présence d'esprit d'éviter un affrontement auquel je répugne, j'en suis certain. Vous semblez avoir le don d'exciter en moi des instincts combatifs dont je ne m'étais jamais douté auparavant.

Les yeux étincelants, furieuse, Tara jaugea son interlocuteur pour tenter de deviner si en cas de résistance il mettrait ses menaces à exécution. Il paraissait serein, mais ses poings se serraient imperceptiblement... Probablement s'efforçait-il de ne pas céder à la colère... Bien contre son gré, la jeune femme préféra faire preuve de prudence. Elle détestait se soumettre à la volonté d'autrui, mais il devenait impossible d'agir autrement.

— Je vous accompagnerai, laissa-t-elle tomber d'un ton glacial, mais uniquement dans le but de protéger Aithne.

Elle était satisfaite de cette trouvaille qui lui permettait de sauver la face et en outre n'était pas très éloignée de la vérité.

Federico fronça les sourcils.

— Que voulez-vous insinuer ? En quoi votre sœur aurait-elle besoin de « protection » ?

— Cela ne vous semble-t-il pas évident ? Elle est jeune, naïve, et encore amourachée de vous. Je la sais extrêmement influençable... et je connais vos talents de manipulateur ! Il serait ingrat de ma part de la laisser seule en votre présence.

— Tara, soupira-t-il en secouant la tête, vous avez si mauvaise opinion de moi... Je me demande parfois si vous réagissez de même avec tous les hommes en général ou si cette méfiance m'est uniquement destinée. En quelque sorte, vous vous servez de votre mari comme d'un bouc émissaire. Vous projetez contre moi une sorte de mystérieux dépit contre la gent masculine dont je vois l'origine dans votre enfance. Vous avez dû subir de profonds traumatismes qui déforment votre vision actuelle de l'existence...

Il fit une pause, comme s'il réfléchissait à la meilleure formulation possible de sa pensée, et reprit :

— Le seul moyen de se délivrer des effets nocifs de tels traumatismes est de les revivre pour les dépasser. Lorsque vous étiez petite fille, vous avez eu probablement l'impression, à un moment donné, d'être rejetée et négligée. Pour lutter contre cela, vous vous êtes durcie... Vous sortirez de ce cercle infernal en vous sentant aimée, désirée avec sincérité, et en acceptant la réciprocité des sentiments...

Il lui caressa la joue avec douceur tout en poursuivant :

— Il vous faut me croire, Tara. Vous êtes une femme sensible, désirable, digne d'être adorée sans partage, et pas seulement physiquement...

La jeune femme, éberluée, se demandait comment répondre à cet assaut de charme qui la troublait profondément lorsque son compagnon y mit fin de lui-même en se redressant et en se dirigeant vers la porte.

— Nous vous attendons, sourit-il depuis le seuil. Dépêchez-vous.

Tara resta un instant immobile. Les changements d'humeur de son époux étaient presque aussi difficiles à comprendre que les siens propres !

8

Le petit groupe traversa l'île en voiture pour se rendre à une luxueuse plage privée connue du baron Cortes.

— Je croyais avoir vu tous les recoins de Malte ! s'exclama Aithne en découvrant l'endroit avec ravissement.

Une douzaine de chaises longues, abritées de parasols vivement colorés, attendaient les visiteurs. Deux moniteurs jeunes et bronzés, sur le rivage, initiaient quelques ravissantes créatures aux délices du ski nautique. A l'autre bout, des marches de bois conduisaient à un restaurant élégant et à un bar doublé d'une terrasse ombragée où plusieurs personnes dégustaient déjà des boissons rafraîchissantes. Les serveurs simplement vêtus de shorts effrangés circulaient entre les tables avec des plateaux chargés de cocktails et de sorbets. Le public était particulièrement distingué : les femmes habillées de soie légère s'éventaient avec nonchalance et leurs compagnons affichaient l'allure blasée de ceux que les aléas de la fortune n'atteignent pas. Certains hommes, parmi les plus jeunes, paraissaient en revanche nerveux et attentifs. Tara devina en eux les coureurs de dot à l'affût des riches héritières visitant la plage...

— Pourquoi les de Marcos ne m'ont-ils jamais emmenée ici ? minauda la cadette des O'Toole.

— Parce que la carte de membre est assez difficile à obtenir, expliqua Federico. Ils ne la possédaient pas encore, mais cela a dû s'arranger depuis votre dernier séjour... D'ailleurs, il me semble les apercevoir un peu plus loin.

Effectivement, le couple ami des deux Irlandaises avait remarqué les nouveaux venus. Ils agitaient frénétiquement la main en souriant largement et le baron suivi de ses compagnes se dirigea vers eux. Sur leur chemin, plusieurs personnalités reconnaissaient le célèbre Maltais et le saluaient avec chaleur.

— Je suis si heureuse de vous voir ! s'écria Dolores de Marcos lorsque le trio arriva à sa hauteur. Nous venons ici pour la première fois aujourd'hui, et certains membres nous ont regardés de haut, je dois l'avouer. Pourtant, nous sommes en relation avec la plupart des gens qui sont ici. Mais ils se permettent de nous ignorer comme si nous n'existions pas...

Elle parcourut la plage avec une moue et ajouta :

— Nous nous sommes donnés beaucoup de mal pour entrer dans ce club très fermé, mais je commence à me demander pourquoi !

Son époux, Mario, qui était en train de discuter avec Federico sur la disposition des chaises longues apportées par le garçon de plage, tourna vers sa femme un œil rieur.

— Vous n'aurez plus jamais à vous plaindre d'être méprisée, ma chérie, lança-t-il gaiement. Dès l'instant où l'on vous voit en compagnie du baron et de la baronne Cortes, vous êtes considérée comme faisant partie de la véritable élite ! Toutes les portes de Malte nous seront désormais ouvertes, et les invitations vont pleuvoir dans notre boîte aux lettres !

Tout le monde éclata de rire devant l'expression tour à tour sidérée et enchantée de la jeune Maltaise. Des regards envieux se tournèrent vers le mari de Tara et ses hôtes.

L'Irlandaise ne partageait pas la joie collective. Elle trouvait un tel snobisme insupportable et devait se forcer pour répondre aux sourires flatteurs lorsqu'elle gagna les cabines avec sa sœur pour se changer.

— Quelle atmosphère odieuse! fulmina-t-elle à mi-voix. Je déteste cette mentalité de courtisans flatteurs...

— Ma chère, répliqua Aithne d'un ton pincé, le chemin de la célébrité passe nécessairement par le fait de cultiver certaines relations. Les de Marcos sont certes charmants, mais ils ne font pas vraiment partie des cercles privilégiés.

Tara stoppa net, outrée et dégoûtée par la déloyauté de sa cadette envers un couple qui avait toujours montré avec elles une amitié sans failles.

— Comment oses-tu proférer de telles sornettes? lança-t-elle chaudement. Dolores et Mario me sont infiniment sympathiques!

L'autre haussa les épaules sans s'émouvoir.

— Ne te formalise donc pas! Même les meilleurs amis disent du mal les uns des autres dès qu'ils ont le dos tourné, c'est humain. En outre, tu dois ta position sociale au baron, et tu devrais t'en souvenir. Tu lui dois au moins de répondre avec amabilité aux sourires que les gens t'adressent sur ton passage! Après tout, le public que l'on trouve ici est le seul fréquentable de toute l'île.

Tara considéra avec effroi la moue dédaigneuse de sa compagne.

— Parfois, murmura-t-elle en frissonnant, j'ai l'impression que tu es une véritable inconnue, Aithne.

En fouillant son sac, une fois dans sa cabine, elle s'aperçut qu'elle avait choisi un maillot de bain particulièrement osé. Amusée, elle eut un léger rire; son apparition dans cette tenue ne manquerait pas de choquer la mentalité maltaise, plutôt prude... Et de mettre Federico en colère, le poussant ainsi peut-être à finalement accepter le divorce.

Lorsqu'elle sortit, effectivement, des cris étouffés résonnèrent autour d'elle et un ou deux sifflements se firent entendre. Les yeux verts de la jeune femme étincelèrent ; l'effet produit dépassait toutes ses espérances.

Le maillot n'aurait pas choqué sur les plages européennes, mais on n'en trouvait à Malte aucun de semblable. Il s'agissait d'un minuscule bikini doré, avec un dessin ajouré représentant une tête de tigre sur chacun des bonnets et sur le slip. L'effet était extrêmement suggestif.

Dolores écarquilla des yeux scandalisés ; son mari sifflota avec une expression taquine.

— Votre petite tigresse est prête à se mettre à l'eau, Federico, plaisanta-t-il.

Celui-ci s'apprêtait à répliquer, le visage contracté, mais Aithne intervint avant lui :

— Tara est toujours pleine de surprises, n'est-ce pas ? Tantôt elle ressemble à un chaton effarouché, tantôt elle se révèle d'un tempérament félin et rugissant...

Elle esquissa une moue de dépit. Sa propre tenue passait complètement inaperçue à côté de celle de sa sœur.

— Personnellement, je ne sais pas si j'oserais porter un ensemble aussi sexy, conclut-elle d'un ton pincé.

Le baron avait sauté sur ses pieds. Il agrippa Tara par le poignet, le regard étincelant.

— En général, les chats même sauvages n'aiment pas l'eau, lança-t-il d'une voix grinçante. Nous allons vérifier cela immédiatement...

Il l'entraîna sans pitié jusqu'au rivage, puis se mit à nager, la tirant toujours derrière lui. La jeune femme émit un hoquet de protestation ; il n'y prêta aucune attention. Lorsqu'ils furent suffisamment éloignés de la vue des autres, il s'arrêta, la serra contre lui et plongea son regard dans le sien. Elle ouvrit la bouche pour protester vigoureusement mais avant qu'elle ait eu le temps de prononcer la moindre parole, il avait déposé sur ses lèvres un profond baiser. Tara se sentit submergée d'une étrange faiblesse. Des ondes de chaleur couraient le long de ses nerfs et de ses muscles... Puis l'homme desserra son étreinte, ramena sa compagne en eau peu profonde et s'éloigna à la nage avec un vibrant éclat de rire.

Pitoyable comme un chaton mouillé, son épouse regagna la plage. Elle avait voulu choquer Federico, le rendre furieux, mais avait seulement réussi à réveiller en lui un désir qu'elle redoutait...

Mario et Dolores étaient partis s'essayer au ski nautique. L'Irlandaise se sécha soigneusement et s'étendit à côté de sa sœur qui était occupée à s'enduire de lotion solaire.

— Enfin, nous sommes un peu seules, fit cette dernière. Je n'ai pas eu l'occasion de te parler depuis les révélations de père au sujet de l'héritage. Qu'allons-nous devenir ?

Tara s'étira en étouffant un bâillement.

— Nous serons obligées d'économiser, tout simplement, répondit-elle. Nous vendrons la propriété et chercherons un petit appartement. Peut-être même devrons-nous prendre un emploi...

Aithne lui adressa un regard glacial.

— Un emploi ! Ne sois donc pas ridicule ! De toute façon, en ce qui te concerne tu n'as certainement aucun souci à te faire. Il te suffit de rester auprès d'un mari suffisamment riche pour subvenir à tes besoins... Mais pour moi, la situation est cruciale. J'ai besoin d'argent, et tout de suite !

Son interlocutrice se redressa sur ses coudes. Négligeant les insinuations de l'autre, elle répliqua d'une voix calme :

— Père est probablement ruiné, comme il l'affirme, mais il possède sans doute encore assez pour parer au plus pressé. Demande-lui donc de t'avancer la somme qu'il te faut. Il ne rechignera pas à se départir de quelques livres.

— Je... En fait, je dois trouver rapidement plusieurs milliers de livres, avoua la cadette en avalant sa salive.

Tara fronça les sourcils.

— Que se passe-t-il ? Te serais-tu endettée ? Auprès de qui ?

Elle n'avait jamais vu sa sœur dans un état de semblable nervosité. Le visage de la blonde jeune fille était devenu d'une pâleur de cendre ; ses lèvres tremblaient de façon incontrôlable.

— Je me suis montrée extrêmement déraisonnable, je l'avoue, murmura-t-elle d'une voix blanche. Evidemment, je ne pouvais pas prévoir... Je... je dois plus de cinq milles livres au casino ! J'y ai beaucoup joué lors de mon dernier séjour et n'ai malheureusement pas cessé de perdre. J'ai alors expliqué au directeur que j'attendais un héritage, en lui montrant mes papiers d'identité, et il a accepté de me laisser un délai de trois mois pour le remboursement. Naturellement, durant tout ce temps-là j'ai essayé d'engager une conversation avec Père pour lui emprunter la somme, mais il était d'une humeur tellement morose que je n'ai jamais réussi à mettre le sujet sur le tapis. La seule nouvelle ayant paru le dérider un peu, fut celle de ton mariage. C'est pourquoi, lorsqu'il a décidé de venir te rendre visite, j'ai préféré attendre encore avant de lui parler de mes problèmes... Je ne pouvais imaginer qu'il était trop tard. Il avait déjà fait faillite ! Si seulement je l'avais su... Tu dois m'aider, Tara !

Elle s'interrompit un instant. Ses yeux de pervenche s'emplirent de larmes.

— Après tout, poursuivit-elle, ce serait justice si tu me secourais ! Federico est immensément riche, et c'est en partie à cause de tes manœuvres si je ne me suis pas mariée avec lui...

Sidérée par les aveux et surtout par l'injuste accusation de sa sœur, la baronne Cortes s'efforça désespérément de garder une apparence impassible. Toute sa vie, elle avait fait passer les intérêts de la cadette avant les siens ; et qu'obtenait-elle en retour ? Des reproches, des plaintes, des récriminations... Se préparant à l'avance à essuyer une nouvelle rebuffade, elle déclara fermement :

— Pardonne-moi, Aithne, mais en ce moment je suis dans l'incapacité totale de te venir en aide. Je puis seulement te répéter ce que j'ai déjà appris à Père ; je refuse de me mettre sous la dépendance de Federico en quoi que ce soit. Il ne doit pas y avoir le moindre lien entre lui et moi, fut-ce celui d'un emprunt. Mon unique intention est de me libérer de son emprise le plus vite possible, un point c'est tout.

— Cette dernière affirmation n'est pas pour me déplaire, naturellement, persifla Aithne. Seulement, les procédures de divorce durent un certain temps, et c'est immédiatement que je veux trouver cet argent.

— Dans ce cas, soupira l'autre, soumets ton problème à Père. Je ne vois pas d'autre solution. Ne t'inquiète pas trop... Avec son aide, nous parviendrons probablement à réunir la somme d'une façon ou d'une autre.

En fait, elle croyait assez peu à ses paroles. La dette de sa sœur était considérable. Autrefois, cependant, elle n'aurait pas posé de problème à Ronald O'Toole ; lui-même jonglait quotidiennement avec des affaires bien plus vertigineuses. Mais à présent, avec leur faillite... Le cœur de la jeune femme se serra. Son avenir, sans la présence rassurante d'une fortune qui facilitait tellement l'existence, lui paraissait tout à coup bien sombre.

Le soleil brillait toujours avec autant d'intensité mais

elle n'y prêtait plus aucune attention. Lorsque Federico revint de sa baignade, gai et détendu, elle ne répondit pas à son sourire.

Les pupilles de l'homme se rétrécirent. S'asseyant sur une chaise longue toute proche, il fixa sur son épouse un regard intrigué.

— Tara... Que vous arrive-t-il? questionna-t-il.

Elle sursauta, surprise encore une fois de le trouver aussi attentif à ses propres états d'esprit... Elle s'était pourtant efforcée de rester calme et sereine.

— Je... j'ai une légère migraine, indiqua-t-elle, saisissant le premier prétexte venu. A cause du soleil, probablement.

Il fronça les sourcils d'un air sceptique et jeta un bref coup d'œil en direction d'Aithne. Allongée, les yeux fermés, celle-ci paraissait n'accorder aucun intérêt à la conversation.

— Dans ce cas, fit-il enfin, nous ferions aussi bien de rentrer immédiatement. Rassemblez vos effets, tandis que je vais prévenir les de Marcos.

Mario et Dolores se montrèrent déçus du départ de leurs amis, mais le baron les rassura en lançant une invitation.

— Je vais bientôt donner une soirée, indiqua-t-il, où je rassemblerai tous les gens que je tiens à présenter à Tara. Ma villa de la Valetta n'étant pas suffisamment grande, nous nous réunirons dans le palais familial où d'ailleurs nous prendrons bientôt nos quartiers d'hiver. Je vous serais extrêmement reconnaissant de vous joindre à nous.

— Avec plaisir! acquiesça chaudement Dolores. Nous en serons absolument enchantés!

Durant le trajet de retour, Tara saisit le regard de son compagnon alternativement fixé sur elle et sur les traits tendus d'Aithne. Elle essaya en vain d'égayer la conversation; ses tentatives n'aboutirent pas. La cadette ne prononçait pas le moindre mot. Elle semblait plongée dans une humeur morose que sa sœur connaissait bien et qu'elle redoutait plus que tout.

L'épouse de Federico regagna sa chambre avec soulagement. Après une douche rafraîchissante, elle se glissa dans une robe soigneusement repassée et se sentit immédiatement beaucoup mieux.

Cependant, en s'allongeant sur le canapé pour réfléchir, elle s'assombrit à nouveau. Il fallait de toute urgence engager avec son père une conversation des plus sérieuses. Sans ses indications, elle serait incapable d'avoir la moindre idée du montant actuel de sa fortune... ou de ce qu'il en subsistait. Avec un froncement de sourcils, la jeune femme se rendit compte qu'elle possédait en fait très peu d'objets personnels pouvant aisément être revendus. Sa mère appréciait assez peu les bijoux ; elle n'en avait donc légué quasiment aucun à ses deux filles. Les seuls achats importants effectués par Tara durant les années précédentes avaient été ceux d'une jument puis d'un poulain envers lesquels elle était extrêmement attachée. Probablement devrait-elle s'en débarrasser... Elle avait aussi une importante garde-robe, mais la vente de ses plus beaux vêtements n'atteindrait jamais la somme fabuleuse dont Aithne avait besoin. Cinq mille livres ! La jeune baronne en croyait à peine ses oreilles. Plus elle y songeait, plus il lui semblait impossible de réunir une telle masse d'argent...

L'entrée de Federico dans la pièce n'interrompit pas le cours de ses pensées. Elle sursauta en s'entendant appeler par son nom et leva les yeux. Il tenait à la main une sorte de coffret recouvert de cuir repoussé. S'asseyant à côté d'elle, il le déposa sur le couvre-lit.

— Vous m'avez parue un peu déprimée, cet après-midi, expliqua-t-il d'un ton nonchalant. Je vous ai apporté un cadeau, dans l'espoir de vous distraire un peu.

— C'est très aimable à vous, répondit-elle machinalement mais non sans courtoisie. Vous n'auriez pas dû...

— Ouvrez, ordonna-t-il en lui tendant une minuscule clef dorée.

Tara actionna la serrure et souleva le couvercle. Les bijoux, placés harmonieusement sur un fond de velours pourpre, scintillaient. Devant l'éclat des pierres précieuses, la jeune femme retint sa respiration.

— Ils sont splendides ! souffla-t-elle, émerveillée.

Elle souleva les joyaux un à un, les faisant couler entre ses doigts. L'ensemble comprenait une paire de boucles d'oreilles d'or finement ciselé, ornées de rubis taillés en forme de profil ; deux bagues assorties, avec le même visage féminin ; un collier d'argent égrenant des pierres de turquoise et de lapis-lazuli ; un camée taillé dans de l'onyx ; une broche circulaire cerclée de grenats et enfin plusieurs pendentifs en or constitués de gracieux motifs animaliers ; un dauphin, un cygne, un pélican...

— En eux-mêmes, chacun de ces objets ne possède pas une valeur extraordinaire, indiqua Federico, enchanté par la joie de la jeune femme. Une autre fois, je vous montrerai nos bijoux de famille les plus précieux, qui pour le moment dorment tranquillement à l'abri d'un coffre. Mais en attendant, portez ceux-ci à votre guise. J'y suis assez attaché, mais leur perte ne me troublerait pas trop.

Son attitude paraissait neutre, mais Tara soupçonnait que le présent avait en fait une plus grande valeur qu'il ne voulait bien l'avouer. Elle remit le tout en place, referma le coffret et déclara :

— Gardez-les, je vous en prie. La responsabilité de leur sécurité me semble trop lourde.

Le sourire de l'homme s'effaça.

— Etes-vous réellement inquiète, ou bien s'agit-il d'un prétexte pour refuser ? L'aspect romantique de ce cadeau vous effraie-t-il ? En l'acceptant, vous craignez peut-être de trop vous engager...

— Non, protesta-t-elle vivement. Je n'avais pas considéré la question sous cet angle.

— Dans ce cas, permettez-moi d'insister pour vous les offrir. Comme je l'ai dit, tout ceci n'a pas grande valeur, excepté...

Il ouvrit à nouveau le couvercle et désigna le pendentif représentant un cygne.

— Excepté celui-ci, compléta-t-il. C'était le bijou favori de ma mère. Il aurait dû rejoindre ses autres possessions à la banque, après sa mort ; on a dû l'oublier.

Il posa le joyau sur les genoux de sa compagne. Celui-ci, d'une taille assez grande, était incrusté de minuscules émeraudes. Les yeux du cygne étaient formés par deux diamants d'une eau parfaite, et le pendentif était suspendu à une lourde chaîne d'or, elle aussi ornée d'émeraudes et de diamants disposés à intervalles réguliers.

— Il... il paraît extrêmement coûteux, balbutia l'Irlandaise en admirant la finesse du dessin et l'éclat des pierres.

La mère du baron avait dû être particulièrement fière d'arborer un si bel objet...

— Il est fort beau, murmura son interlocuteur.

Il avait posé son regard sur le visage penché de la jeune femme, sur sa nuque où de folles mèches de cheveux mordorés s'échappaient du chignon rapide qu'elle s'était fait après avoir pris sa douche. Pris d'une impulsion subite, profitant de l'inattention de son épouse plongée dans la contemplation du bijou, il se pencha et embrassa à la fois légèrement et passionnément la naissance du cou gracile.

— La ligne de vos épaules et de votre nuque est absolument délicieuse... chuchota-t-il. Le savez-vous ? J'y suis particulièrement sensible. D'autres hommes

93

sont attirés par de jolies jambes, ou une silhouette parfaite, mais moi-même je me sens incapable de résister à cet endroit secret recélant toute la féminité de la femme...

Tara sursauta, puis bondit furieusement sur ses pieds. Le pendentif retomba sur le couvre-lit sans qu'elle y prêta attention.

— Ainsi, vous espériez bien quelque faveur en échange de votre présent, lança-t-elle, hors d'elle. J'aurais dû m'en douter ! Je n'aurais jamais dû croire un seul mot de vos promesses !

Un éclair de colère et de déception illumina brièvement les prunelles du baron. Il avala sa salive pour se maîtriser et grommela d'une voix rauque, imperceptiblement menaçante :

— Une récompense vient seulement après la victoire, Tara. Or, je n'ai pas obtenu cette victoire... Pas encore !

9

En pénétrant dans la « M'Dina », la vieille cité qui conservait le glorieux souvenir de l'ancienne Malte, ni Aithne ni Ronald O'Toole ne semblèrent ressentir le même enchantement que Tara lors de sa première visite.

Le palais Cortes lui-même, cependant, les impressionna considérablement. Le vieil Irlandais, déambulant de pièce en pièce, ne parvenait pas à dissimuler son admiration et son envie.

Dans la vaste salle de bal, où les pas résonnaient sur le sol de marbre blanc et noir, il tomba en arrêt devant les fresques retraçant les grandes batailles du passé. Puis il examina un à un les immenses tableaux accrochés aux murs :

— Holbein, Van Loo, Rubens... murmurait-il, comme s'il se livrait à un rapide calcul mental.

Il dut d'ailleurs rapidement renoncer à son énumération en pénétrant dans les salons où un nombre incalculable de chefs-d'œuvre se trouvaient rassemblés. Tapisseries médiévales, épées de Tolède, vases et boiseries...

La convoitise accusatrice de son regard — et de celui d'Aithne — fit frissonner désagréablement la baronne.

— Tu connaissais toutes ces richesses, jeta Ronald à l'adresse de sa fille aînée, et malgré tout tu as refusé de solliciter pour nous l'aide financière de ton mari ? Cela m'étonne. La vente d'un seul de ces portraits suffirait à nous tirer d'affaire !

— Il ne s'en débarrasserait à aucun prix ! répliqua-t-elle.

— Probablement n'en aurait-il même pas besoin, ricana l'autre. Son compte en banque à lui seul est certainement très impressionnant. Il croule sous la fortune... Et nous, nous n'avons rien !

Sa voix témoignait d'un profond ressentiment, à la fois contre un homme plus aisé que lui et contre sa fille.

— Ton mari est moralement obligé de nous aider ! reprit-il en hochant la tête. Après tout, nous faisons partie de la famille...

Tara était submergée par un profond dégoût.

— Vous avez vous-même connu la richesse, jeta-t-elle. Vous n'en étiez pas plus généreux envers vos amis pour autant...

Ronald leva le menton et se drapa dans sa dignité.

— C'est faux ! Je n'ai jamais laissé personne dans le besoin. Tu parleras au baron, Tara, n'est-ce pas ?

— Non ! Je ne mendierai pas ! explosa-t-elle. Nous avons peut-être tout perdu, mais nous ne nous humilierons pas !

Un court silence s'ensuivit, lourd de tension.

— Père, supplia-t-elle, il est inutile de poursuivre sur ce sujet. La seule chose à faire est de trouver un moyen de résoudre le problème par nous-mêmes... Après tout, nous possédons encore le manoir, de nombreuses têtes de bétail, les chevaux...

— Tout cela, coupa-t-il, sera mis aux enchères dans deux jours, y compris ta jument et ton poulain. Entre parenthèses, tu es tellement attachée à ces deux derniers que je t'aurais crue plus coopérative pour tenter de les sauver...

Horrifiée, la jeune femme recula d'un pas.

— Aux... aux enchères ? Tous nos biens ?

— Dans deux jours, répéta-t-il avec cruauté. C'est tout le temps qui te reste pour ravaler ton amour-propre et changer d'attitude envers ton multimillionnaire d'époux.

Inconsciente des drames se jouant dans la famille, Bridget accueillit Tara avec effusion lorsque celle-ci regagna sa chambre. Tout en bavardant gaiement, elle défaisait les bagages de l'arrivante et disposait ses effets dans les placards.

— Tu as beaucoup de chance, affirma-t-elle. Cette pièce est absolument ravissante.

Elle s'arrêta un instant pour jeter autour d'elle un regard attendri. Probablement croyait-elle que sa jeune maîtresse, à présent, partagerait la même chambre que son mari.

Le nouvel appartement du couple était très différent de celui de Gozo et de celui de la Valetta. Le décor assez sobre, aux boiseries d'acajou adoucies de velours vert amande, dégageait une atmosphère d'élégance raffinée. Le lit, imposant par ses dimensions, avait dû accueillir de nombreuses épousées de la famille Cortes rougissant de timidité ; et des générations d'héritiers y avaient certainement vu le jour...

Tara frissonna et détourna les yeux. Ses nuits, dans ce lit, seraient sans aucun doute tourmentées et inconfortables, tant un flot de souvenirs l'assaillait dès qu'elle posait la tête sur l'oreiller et évoquait le baron.

— Nous avons eu beaucoup de travail pour préparer cet endroit, souligna Bridget, apparemment devenue fort familière avec le reste des domestiques. D'après Maria, la cuisinière, cette suite nuptiale n'avait pas été utilisée depuis des années. En fait, pas depuis la mort des parents de Federico... Son père est décédé en mer, la dernière année de la guerre, quelque temps avant la naissance de son fils. Le savais-tu ? L'ancienne baronne, apparemment, ne s'est jamais complètement remise de ce choc ; elle est restée invalide jusqu'à son propre décès. M. Cortes, ton époux, l'adorait et s'efforçait en vain de lui faire oublier sa mélancolie.

Secrètement émue de cette évocation révélant la profonde sensibilité de l'homme, Tara répliqua avec une certaine colère :

— Comment oses-tu encourager les domestiques à discuter des affaires privées de leur maître ? Tu me déçois, Bridget.

Profondément offensée, la gouvernante se redressa de toute sa petite taille et serra les lèvres.

— Paul et Maria ne se considèrent pas comme des domestiques ordinaires, rétorqua-t-elle d'une voix sèche. Ils sont au service de la famille depuis plus de quarante ans, et à ce titre se considèrent le droit de se soucier du bien-être du baron, de se réjouir de son bonheur... Ils lui servent d'oncle et de tante, en quelque sorte. Et, je l'avoue, ils ont reconnu en moi — du fait du rôle que je joue auprès de toi — des qualités semblables...

Sa voix trembla un instant et elle la raffermit pour poursuivre :

— Ils savent que les O'Toole ne me prennent pas pour une domestique trop bavarde, mais pour un membre respecté de leur clan.

— Oh, Bridget !

Avec un cri de remords, la jeune femme se précipita pour enlacer affectueusement les épaules de son interlocutrice. Enfouissant son visage dans le cou de l'autre, elle plaida d'un ton implorant :

— Pardonne-moi, je t'en supplie. Tu sais combien je t'aime... Je m'en veux d'avoir prononcé des paroles aussi cruelles. Promets-moi de les oublier, je t'en prie ! Je... je ne suis pas dans mon état normal, depuis quelque temps. J'ignore ce qui m'arrive... Je suis devenue si irritable, si nerveuse !

— Je l'ai remarqué, et ce comportement date de ton mariage, souligna la vieille dame. Cela n'a rien d'étonnant ! Ton cœur a promis de chérir et d'honorer Federico, mais ta stupide obstination s'emploie à agir exactement à l'opposé... Tu es complètement déchirée entre les deux ! Fais la paix avec ton mari, mon enfant, et par la même occasion tu feras la paix avec toi-même.

Se sentant confirmée dans sa position de confidente favorite, Miss Mc Bride interrogea alors avec un regard aigu :

— Comptes-tu lutter avec cet homme encore long-temps, Tara ? Est-il si difficile pour toi de voir enfin la vérité en face, de t'avouer combien tu es amoureuse de lui ?

Elle quitta la pièce, déçue de ne pas recevoir de réponse. La jeune femme s'effondra sur le canapé, épuisée par le dialogue. Tout le monde autour d'elle, apparemment, s'employait à contrarier ses plans : Aithne et son père, du fait de leur pressant besoin d'argent, Bridget à cause de son romantisme, et surtout Federico lui-même, qui s'obstinait à refuser le divorce pour des raisons mystérieuses...

Au moment où elle décidait de prendre un bain pour tenter de calmer ses nerfs à vif, sa sœur pénétra dans l'appartement. Tara l'accueillit sans plaisir. Il lui faudrait encore subir de nouvelles attaques...

Cependant, la jeune fille ne prit pas immédiatement la parole. Elle se borna pendant quelques instants à déambuler dans la chambre d'un air absent, soulevant machinalement quelques objets.

— Où est donc passé ton mari ? questionna-t-elle enfin d'un ton neutre. Nous ne l'avons pas vu depuis le petit déjeuner.

— Il a dû sortir à la suite d'un coup de téléphone ; une affaire avec ses associés, je pense. D'après Paul, il ne sera pas de retour avant ce soir.

— Il se permet donc de travailler durant sa lune de miel ? Evidemment, la « lune de miel » en question est peut-être inexistante...

— Qui sait ? rétorqua la baronne d'un ton raide, tout en rangeant le coffret à bijoux sur une étagère pour dissimuler sa nervosité.

L'objet n'avait pas échappé au regard perçant de la plus jeune.

— Qu'est-ce que cela ? demanda-t-elle. Je ne l'avais jamais vu auparavant.

Heureuse de trouver un prétexte pour éviter un échange de propos acerbes, Tara souleva le couvercle.

— Ce sont des bijoux de fantaisie dont Federico m'a fait cadeau. Ils sont ravissants, tu ne trouves pas ?

Aithne s'empara de la boîte et vint se placer devant la fenêtre pour en examiner le contenu à la lumière. Mais, au lieu de se lancer dans un commentaire enthousiaste, elle reposa le tout sur le lit et interrogea d'une voix acerbe :

— Tara... as-tu dormi avec ton mari, depuis ton mariage ?

— Oui, mais pas par choix, balbutia l'intéressée, déconcertée. Il m'a traitée comme toi, et comme toutes les autres, je suppose. Dois-je te rappeler ses ascendances mêlées de sang arabe et espagnol, expliquant son attitude avec les femmes ? À ses yeux, nous sommes des sortes de proies qu'il ne peut s'empêcher de conquérir.

Elle attendit un geste de compassion, une parole de sympathie, mais rien ne vint. Au contraire, elle se sentit profondément choquée lorsqu'Aithne riposta avec fureur :

— Ainsi, tu l'avoues, tu lui appartiens ! Encore une fois, tu me laisses seulement les miettes du festin, à savoir mes souvenirs, tandis que toi seule t'es arrogée le droit d'apprécier ses baisers et ses caresses...

— Assez ! hurla l'aînée, folle de rage.

Elle se couvrit les oreilles de ses mains et ajouta d'une voix presque hystérique :

— Je refuse d'entendre un mot de plus !

100

— C'est dommage, railla son interlocutrice, car j'ai bien l'intention de poursuivre.

Mais Tara n'en pouvait plus. Evitant le regard de sa sœur, chargé de haine et de jalousie, elle se précipita vers la porte, l'ouvrit et prit la fuite.

La jeune femme courut à perdre haleine, sans très bien savoir où elle allait. Au bout de quelques instants, elle s'arrêta et leva les yeux ; d'instinct, elle était venue se réfugier dans le parc. A cette heure de l'après-midi, le parfum des massifs de fleurs se dégageait avec insistance, répandant de délicieuses et entêtantes effluves. L'endroit était un véritable havre de paix ; de hauts arbres jetaient une ombre apaisante. La fugitive s'assit sur le rebord de la fontaine. Au centre du bassin, des poissons aux écailles mordorées allaient et venaient entre les nénuphars et les herbes aquatiques. Tara posa les yeux sur une statue de Pomone usée par le temps. De place en place, la pierre s'était effritée, rongée de mousse... Comment des objets apparemment aussi inaltérables pouvaient-ils finalement céder à l'assaut des années ? Mélancoliquement, la sœur d'Aithne compara ce fait à la dégradation de sa propre famille. Elle avait cru leurs liens d'affection et de tendresse absolument indestructibles ; pourtant, ils disparaissaient sans espoir... L'intrusion de Federico dans sa vie avait entraîné le chaos. Ronald faisait preuve d'avidité et de colère, Aithne de jalousie, et Bridget elle-même désapprouvait sa favorite.

En apparence, à l'heure du dîner, Tara avait retrouvé sa maîtrise de soi. Mais intérieurement elle se sentait brisée et ses nerfs étaient tendus à l'extrême.

Son père et sa sœur se trouvaient seuls dans le salon. A la grande surprise de l'arrivante, le premier se montra particulièrement affable.

— Aimerais-tu un apéritif, demanda-t-il aimablement, ou préfères-tu passer tout de suite à table ? Ton mari m'a expliqué, au cours de notre conversation avant le petit déjeuner, qu'il fallait commencer sans lui car il risquait d'être retenu. A vrai dire, je meurs de faim, et j'aimerais goûter sans attendre au délicieux repas de votre talentueuse cuisinière.

— Vous avez donc bavardé avec Federico ce matin ? demanda-t-elle d'un ton soupçonneux. Quels sujets avez-vous abordés ?

— Oh, nous avons parlé de choses et d'autres... Rien de bien passionnant.

Durant le repas, Tara s'efforça inutilement d'animer la conversation. Aithne gardait un silence boudeur, et sa sœur aînée ne pouvait s'empêcher de jeter des coups d'œil déçus vers la chaise vide du baron. Sa présence aurait tout de même facilité le problème.

Une fois son dessert avalé, la cadette se retira avec un bref bonsoir. Tara se retrouvait seule avec son père et elle décida de mettre à profit ces quelques instants d'intimité.

— Père, commença-t-elle d'un ton hésitant, ne devriez-vous pas rentrer en Irlande, afin de vous occuper de nos biens ? Il y a certainement des documents à signer, des points délicats à résoudre. Si Caliph et Traleen, ma jument et son poulain, sont destinés à la vente, je... j'aimerais autant qu'ils ne soient pas acquis par le premier venu...

— J'ai déjà trouvé un acheteur, répliqua l'autre avec satisfaction. Il s'agit d'une personne dont tu n'auras pas lieu de te plaindre. Détends-toi, ne te fais plus de soucis ! J'ai tout arrangé.

— Comment pourrais-je ne pas m'inquiéter ! explosa-t-elle en sautant sur ses pieds. Vous restez tranquillement assis à déguster votre brandy tandis que nos possessions les plus précieuses sont sur le point d'être mises aux enchères...

Elle s'interrompit et des larmes brûlantes ruisselèrent soudain sur ses joues. Il était déjà douloureux d'être ruinée, mais l'idée de perdre ses chevaux, les compagnons de toute son adolescence, était particulièrement insupportable. Elle avait entrepris avec eux d'immenses promenades dans la campagne, ils la reconnaissaient même au milieu d'une foule et ne répondaient qu'au son de sa voix... Traleen, la jument, était trop âgée pour supporter autre chose qu'un léger trot ; mais le poulain était un excellent cheval de course et il n'avait certainement eu aucune difficulté à trouver un acquéreur. Or, son caractère difficile requérait d'infinies précautions, et Tara serait épouvantée de le savoir en de mauvaises mains.

Lorsque Ronald O'Toole, un sourire béat sur le visage, tendit à nouveau la main vers la bouteille de brandy, la jeune femme se sentit submergée par l'impuissance et le désespoir.

— Je monte dans ma chambre, annonça-t-elle avec lassitude.

Alors qu'elle grimpait les escaliers, son esprit enregistra sans y accorder d'attention le claquement d'une porte, suivi par le ronronnement d'un moteur s'éloignant dans la ruelle. Elle espérait trouver Bridget dans le dressing-room ; seule la gouvernante prêterait peut-être une oreille compatissante à son désarroi.

Mais la vieille dame demeurait invisible. Tara s'assit sur son lit, puis se releva aussitôt, incapable de rester en place. Sa nervosité atteignait un degré extrême. Elle regrettait à présent d'avoir quitté son père. Même la compagnie du vieux roué était préférable à une solitude anxieuse... Tout à coup, elle stoppa net, son attention subitement attirée par le coffret à bijoux. Le couvercle en était à demi soulevé et la chaîne d'un pendentif en dépassait. Agacée par la négligence de sa sœur, elle s'approcha vivement et commença à remettre méthodiquement en place chacune des pièces d'orfèvrerie. Puis elle s'arrêta, saisie d'une soudaine inquiétude, et se mit à fouiller frénétiquement l'écrin. Il manquait quelque chose... Le cygne ! Le seul de tous les éléments, d'après

Federico, possédant véritablement une grande valeur... Les recherches de l'Irlandaise se révélèrent vaines ; le pendentif favori de la défunte baronne Cortes, si cher au cœur de son fils, restait introuvable.

Qu'avait-il bien pu devenir ? Pendant plus d'une demi-heure, Tara passa la pièce au peigne fin, retourna chaque coussin, examina les tapis centimètre par centimètre... Peine perdue. Renonçant à poursuivre, elle s'affala dans un fauteuil et s'épongea le front, les sourcils froncés. Où avait-elle vu l'objet pour la dernière fois ? Après réflexion, la mémoire lui revint ; Aithne avait tenu le bijou en main un bref instant, le regard intrigué, avant de reposer le coffret. Aurait-elle pu le glisser machinalement dans sa poche, en pensant à autre chose, puis l'y oublier ?

L'aînée des O'Toole se précipita dans le corridor. Elle frappa vigoureusement à la porte de sa sœur. Ne recevant pas de réponse, elle actionna la poignée et jeta un coup d'œil à l'intérieur ; la chambre était vide. Son occupante avait dû sortir...

Soudain, Tara se souvint du bruit de moteur qu'elle avait entendu en montant les escaliers ; il devait s'agir d'un taxi. Sans hésiter, sans même songer un instant qu'elle nourrissait peut-être des soupçons injustifiés à l'égard de l'autre, l'épouse de Federico décrocha son manteau dans sa garde-robe et descendit dans le hall pour appeler à son tour un taxi.

Celui-ci mit au moins vingt minutes avant d'arriver, et autant pour atteindre sa destination. La jeune femme bouillait d'impatience. Lorsque le véhicule s'arrêta enfin devant le casino, elle régla en hâte le prix du trajet et fonça en haut des marches.

Elle se trouvait pour la première fois à l'intérieur de l'immense bâtiment dont le luxe faisait la fierté de toute l'île. Une hôtesse souriante attendait derrière un comptoir ; la nouvelle venue s'y dirigea.

— Vous devez payer le forfait d'entrée, indiqua la Maltaise, et signer ce registre.

Son interlocutrice déposa la somme demandée sur le comptoir et parapha sans réfléchir de son nom de jeune fille : « Tara O'Toole ». Puis un huissier chamarré se présenta pour la guider jusqu'aux salles de jeu. La gorge sèche, le cœur battant, l'Irlandaise pénétra dans une immense pièce. Autour d'une dizaine de tables, chacune dirigée par un croupier, se pressait une foule élégante et bourdonnante. Une lumière crue inondait l'ensemble, soulignant sans pitié les regards fiévreux, les visages tendus des joueurs. Les yeux fixés sur leurs piles de jetons et sur le mouvement de la roulette, ils ressemblaient à de véritables automates, à des pantins dépourvus de vie.

Tara se fendit un chemin dans la foule pour tenter de trouver sa sœur. Elle l'aperçut à la dernière des tables. Ses cheveux blonds légèrement décoiffés, Aithne était assise très droite entre deux orientaux profondément absorbés par le jeu. La jeune fille suivait avec attention les gestes de ses voisins ; elle misait aux mêmes endroits qu'eux des sommes que la nouvelle venue, à voir la hauteur des piles de jetons, devina considérables.

Horrifiée, la baronne vint se placer derrière sa cadette.

— Arrête ! murmura-t-elle d'un ton presque inaudible. Arrête, je t'en supplie...

Mais l'autre, avisant l'un des deux orientaux qui venait de placer plusieurs centaines de livres sur un numéro, poussa avec décision la masse de ses jetons dans la même case. Lorsque la roulette commença sa course folle, l'épouse de Federico ferma les yeux. Elle priait de toutes ses forces pour que la petite boule blanche, comme par miracle, s'arrête à l'endroit requis... Le tourbillon ralentit, puis s'immobilisa. Tara n'osait pas regarder.

— Numéro huit, annonça la voix monocorde du croupier.

Le cœur de la jeune femme s'effondra : Aithne avait misé sur le onze.

Cette dernière tourna soudain la tête, cilla un instant et s'exclama d'une voix à la fois lointaine et incrédule :

— Tara ! Que fais-tu ici ?

Celle-ci examina, le cœur serré, les traits tirés et les yeux trop brillants de sa jeune sœur. Les lèvres sèches, elle répliqua avec lenteur :

— Je suis venue te chercher... Tu as perdu une véritable fortune sur ta dernière mise, le sais-tu ? Où as-tu trouvé cet argent, Aithne ?

Pour la première fois depuis très longtemps, la blonde jeune fille sembla terrifiée par les conséquences de son geste. Elle agrippa le poignet de l'autre et supplia d'un ton fervent :

— Je n'avais pas l'intention de jouer, je te le promets. Ne te fâche pas ! A l'origine, je m'étais simplement rendue au casino pour observer, sans participer. Puis je me suis aperçue que ces deux asiatiques gagnaient sans relâche depuis quelques instants. Fascinée, j'ai plongé mes mains dans mes poches et j'y ai senti...

— Le pendentif du baron, compléta Tara avec lassitude.

Sa cadette hocha la tête, l'air honteux.

— Oui. Les clients, ici, se servent souvent de bijoux ou d'objets de valeur lorsqu'ils sont à court de monnaie. En toute sincérité, Tara, je voulais essayer de gagner pour rembourser ma dette. Puis je... je me suis laissée entraîner, j'ai continué dans l'espoir de pouvoir aussi récupérer le pendentif... Si seulement je n'avais pas tout perdu avec le dernier chiffre, je m'en serai sortie, j'en suis certaine.

Ni l'heure ni le lieu, songea la plus âgée, ne se prêtaient à un sermon sur la tentative absurde et dangereuse de parier avec une fortune dont on n'était pas le propriétaire. Aithne avait fait preuve d'une folle stupidité, proche de la malhonnêteté, mais la première chose à entreprendre était de la tirer le plus vite possible hors de ce lieu de perdition.

Elle l'entraîna vers le vestiaire, demanda son manteau puis l'emmena vers le hall. La jeune fille se laissait conduire sans réaction. Toutes les deux atteignaient le seuil lorsqu'une haute silhouette se dressa devant elles.

— Miss O'Toole, dit l'inconnu, auriez-vous l'amabilité de me suivre ? L'un de nos directeurs aimerait vous parler.

Il regardait alternativement l'une et l'autre. Ne sachant pas à laquelle il s'adressait, Tara poussa sa sœur vers la sortie en lui soufflant :

— Prends un taxi et rentre, Aithne. Je m'occupe de tout.

La cadette disparut sans protester et l'autre, les jambes flageolantes, accompagna l'homme le long d'un immense couloir. L'employé frappa à une porte, attendit la réponse puis s'effaça et la jeune femme pénétra seule dans la pièce.

Il faisait fort sombre ; une simple lampe de bureau jetait une faible lueur et les yeux de l'Irlandaise mirent quelques secondes à s'accoutumer à la demi-obscurité. S'avançant d'un pas vers le personnage assis derrière la vaste table, elle commença d'un ton mal assuré :

— Si vous souhaitez m'interroger au sujet du pendentif, je peux facilement expliquer...

— Vraiment, Tara ? coupa soudain une voix familière.

Celle-ci retint un cri. L'homme s'était penché légèrement, et elle reconnut soudain le visage de Federico. La lumière de la lampe faisait scintiller la chaîne du bijou qu'il tenait à la main...

— Vous ! s'exclama-t-elle, littéralement figée sur place.

Ses jambes se dérobèrent sous elle et elle dut s'appuyer sur le bras d'un fauteuil. Les yeux de son interlocuteur, durs et pénétrants, restaient fixés sur la bouche frémissante de la jeune femme. Celle-ci humecta maladroitement ses lèvres desséchées.

— Si vous aviez besoin d'argent à ce point, reprit-il d'une voix froide, pourquoi n'êtes-vous pas venue me trouver ?

Une certaine nuance de tristesse, dans son expression, frappa l'oreille de Tara.

— J'aurais pardonné « l'emprunt » de n'importe laquelle de mes possessions, poursuivit-il. Mais celle-ci...

Il reposa doucement le bijou sur la table. S'il avait protesté vivement, crié, brandi des menaces, l'Irlandaise aurait pu réagir, se battre sur le même plan. Mais la pensée de le savoir aussi profondément blessé, et surtout de s'apercevoir que l'homme la croyait capable de dérober l'un de ses biens les plus chers, tout cela détruisit les dernières résistances de la sœur d'Aithne. Toutes ses forces l'abandonnèrent.

— Ramenez-moi au palais, je vous en prie, suppliat-elle d'un ton presque inaudible.

Durant le trajet de retour, tandis que le conducteur gardait les mains crispées sur le volant, elle éprouvait une étrange sensation de soulagement. Mais, en même temps, elle devinait l'immense mépris de son compagnon envers elle. Cette méfiance empêchait Federico de prononcer la moindre parole.

Lorsque la voiture s'arrêta devant le seuil de leur demeure elle se précipita à l'extérieur sans jeter un seul coup d'œil en arrière et escalada quatre à quatre les escaliers pour se réfugier directement dans sa chambre. Durant un moment interminable, Tara resta adossée contre sa porte, le souffle court, guettant un bruit de pas dans le corridor... Mais rien ne vint. S'il devait y avoir châtiment, le baron en reculait l'échéance.

Elle gagna la salle de bains d'un pas lourd et ôta ses vêtements avec lenteur. L'épisode lui laissait un goût de cendres dans la bouche. Jamais auparavant, dans toute son existence, elle n'avait été accusée de malhonnêteté ; elle avait toujours gardé la tête haute et n'avait eu à supporter le mépris de personne.

La tiédeur délicieuse de la douche détendit un peu ses nerfs à vif. Le visage levé, elle fermait les yeux pour savourer le contact des milliers de gouttelettes d'eau lorsque soudain une main tira brutalement les rideaux de plastique encadrant la baignoire.

Avec un aplomb scandaleux, Federico contemplait la nudité de la jeune femme. Il avait dénoué sa cravate et ouvert le col de sa chemise ; ses cheveux étaient ébouriffés comme s'il y avait passé une main rageuse dans un moment d'intense réflexion. Tara se souvenait — mais trop tard — qu'une des portes du dressing-room où il dormait quotidiennement donnait accès à la salle de bains.

Après un court instant d'hésitation, elle sortit de la douche et se drapa dans une immense serviette de bain. Tout son corps tremblait de peur. Un peu plus tôt, au casino, l'homme avait simplement semblé triste et déçu : à présent, son visage paraissait déformé par la colère et par un esprit de vengeance dévastatrice.

Instinctivement, l'Irlandaise serra la serviette plus étroitement contre elle. Mais le geste ne réussit qu'à souligner les formes de son jeune corps et son interlocuteur ne put réprimer un sourire moqueur.

— Protégez-vous votre vertu pour tenter de faire croire à votre innocence ? railla-t-il. Peine perdue. Je sais déjà combien vous êtes capable de tromperie et de trahison.

Une seconde plus tard, il l'avait enlacée sans tendresse. Elle se retrouva emprisonnée dans une étreinte d'acier, bloquée contre la vaste poitrine soulevée par la respiration haletante de l'homme. Il n'y avait aucun moyen d'échapper au baiser cruel qui s'empara de ses lèvres. Le souffle coupé, Tara se débattit en vain.

Une telle audace, songea-t-elle avec fureur, était typique du personnage. Toute sa vie, il avait eu l'habitude de voir ses moindres volontés immédiatement exaucées. Il n'avait qu'à tendre la main pour obtenir ce qu'il voulait... La poigne musclée et impitoyable se resserrait contre Tara jusqu'à l'étouffer. Elle vacilla, s'accrocha à la chemise de l'autre comme un naufragé perdu dans la tempête.

Puis, graduellement, elle sentit le feu du baiser s'apaiser et s'effacer devant un désir d'un autre ordre. L'étreinte se fit moins ferme, les caresses plus suppliantes...

— Tara ! chuchota-t-il d'une voix rauque. Venez à mon secours, je vous en prie. Délivrez-moi de mon tourment. Prononcez enfin les trois mots que j'attends depuis si longtemps !

Il aurait été facile de céder à sa plainte. Elle-même se sentait emportée dans un tourbillon de passion partagée. Elle avait seulement à murmurer les fameuses paroles — « je vous aime » — et le baron serait délivré de sa promesse. Il lui serait permis alors de donner libre cours à la pulsion qui le dévorait... Mais était-ce possible ? Pouvait-elle s'abandonner à un homme sans scrupules, connu pour profiter de la faiblesse et de la naïveté des femmes ?

Au souvenir d'Aithne, Tara se ressaisit et son bon sens reprit le dessus. Une fois auparavant elle s'était soumise, fascinée, à une volonté supérieure à la sienne ; mais l'erreur de sa nuit de noces ne se reproduirait pas. Un obscur sentiment de dignité la poussa à se délivrer des bras puissants qui la maintenaient. D'un geste vif, elle rejeta ses cheveux en arrière et fixa sur l'autre un regard brillant de fierté et de colère.

— Non ! cria-t-elle, tremblant encore de la douce

émotion à laquelle elle avait failli succomber. Même si je dois y passer le reste de mes jours, je vous rembourserai intégralement tout ce que je vous dois. Mais pas de cette manière !

10

— Federico, j'aimerais énormément visiter votre coopérative vinicole, aujourd'hui. M'y conduirez-vous ?

Vêtue d'une robe blanche, virevoltante, ornée de broderies rouge vif, Aithne ce jour-là paraissait particulièrement séduisante. Elle s'était appuyée contre un treillis de roses trémières pourpres dont elle savait l'effet particulièrement heureux avec sa blondeur et son teint d'ivoire.

La maisonnée venait de prendre le petit déjeuner sur une terrasse extrêmement agréable. Elle était pavée de carreaux anciens et entourée d'une balustrade ajourée sur laquelle venaient s'enrouler les vrilles de la vigne-vierge. Des jardinières emplies de fleurs jetaient une note vive et embaumaient l'atmosphère dès les premières heures de la matinée.

Le baron sourit à la jeune fille en reposant sa tasse.

— Certainement, répondit-il, avec plaisir.

Il jeta un coup d'œil en direction de Tara. Celle-ci, le visage concentré, s'efforçait d'attirer un pigeon avec des miettes de pain. L'oiseau, effarouché par le bruit des voix, s'envola.

— Ces créatures ailées sont bien timides, commenta-t-il. A l'image de certaines femmes...

Elle ne répondit pas et se borna à rougir.

— Accepterez-vous de vous joindre à nous ? reprit-il avec une pointe de sarcasme. Ou bien votre programme de la journée est-il déjà trop chargé ?

Il faisait ironiquement allusion au fait que depuis trois jours elle évitait soigneusement leur compagnie. Au début, il n'avait pas réagi, mais il commençait visiblement à perdre patience.

— Laissez-la donc, minauda Aithne avec un sourire rusé.

Pour cette dernière, tout allait de mieux en mieux. L'attitude de sa sœur servait à merveille ses desseins. Seule avec le baron, elle avait fait le tour de l'île, admiré les sites touristiques les plus passionnants, dîné dans de luxueux restaurants où les serveurs s'empressaient avec componction autour d'eux... Les jours passaient dans un déferlement d'activité effréné. Federico, quoique souvent d'humeur morose, semblait incapable de tenir en place. Aithne soupira d'aise en évoquant leurs romantiques promenades au bord de l'eau, au moment du soleil couchant, dans une carriole tirée par des chevaux...

— Alors, Tara ? interrogea l'homme d'un ton incisif. Avez-vous pris votre décision ?

A la grande surprise de la cadette, celle-ci déclara enfin d'une voix lente et indifférente :

— Oui... Si vous insistez, je viendrai.

— Bien, répliqua-t-il laconiquement. Je vais prévenir mon gérant de notre arrivée.

Bridget fut enchantée de voir sa protégée accepter enfin une promenade.

— Tu es restée enfermée trop longtemps, commenta-t-elle. Tu dois tout de même t'aérer un peu.

Elle posa sur le lit une délicieuse robe de soie à motif floral, et fronça les sourcils lorsque la baronne secoua la tête en protestant :

— Je préfère un simple pantalon et une chemise à carreaux.

113

La jeune femme sortit elle-même les vêtements en question et laissa la chemise flotter autour de sa taille sans la rentrer dans sa ceinture.

— Cette tenue est ridicule ! s'exclama Miss Mc Bride. Tu ne peux tout de même pas te présenter ainsi devant les employés de ton mari ! Je ne peux pas m'empêcher, pour une fois, d'apprécier le soin qu'apporte ta sœur à son habillement et de souhaiter que tu prennes modèle sur elle. Tu te négliges, en ce moment, et tu ne lui arrives pas à la cheville !

Tara ne répondit pas ; les détails vestimentaires, dans son désarroi, lui semblaient secondaires. Lorsqu'elle rejoignit la voiture, Aithne était déjà installée à l'avant, à côté du conducteur. L'aînée s'assit donc sur le siège arrière. L'expression de Federico indiquait à quel point l'apathie de la jeune femme lui déplaisait ; mais il ne fit aucun commentaire et se mura dans le silence.

La coopérative vinicole était située au centre d'une petite ville industrielle. Des camions portant en grosses lettres le nom de l'entreprise Cortes, chargés de bouteilles, sillonnaient les rues étroites et se rendaient sur le port minuscule où un bateau attendait leur chargement.

A l'entrée de l'établissement, un gardien actionna une barrière pour laisser passer le véhicule. Il adressa un geste de reconnaissance à l'égard du baron. Celui-ci vint se garer dans une immense cour où d'autres camions attendaient.

Observant avec attention le sigle de la fabrique estampillé partout, Tara songea avec amertume que la moindre des possessions de l'homme portait sa marque. Elle se souvint d'un petit incident qui s'était produit plusieurs jours plus tôt ; ayant remarqué l'absence de l'alliance au doigt de son épouse, il avait interrogé d'un ton furieux :

— Où est passée votre alliance ?

Sans répondre, elle avait considéré sa main, n'osant

avouer combien pour elle le mince anneau d'or symbolisait une forme de dépendance intolérable.

— Je... je l'ai laissée dans ma chambre, avait-elle enfin admis. J'ai oublié de la remettre.

L'excuse était maladroite, et il avait rugi en guise de réplique :

— Retournez la chercher immédiatement, et ne l'ôtez plus jamais !

— Pourquoi y tenez-vous tellement ? avait-elle persiflé. Est-ce un témoignage de mon esclavage ?

— Non. Simplement une preuve de notre engagement mutuel... des vœux que nous avons partagés.

Le petit groupe se dirigea vers l'entrée des bureaux de la coopérative ; un homme souriant vint les accueillir.

— Je vous présente John Manduca, mon gérant, indiqua Federico. John, voici mon épouse, la baronne Cortes, et sa sœur, Miss Aithne O'Toole.

Le nouveau venu s'inclina galamment.

— Je suis enchanté de vous recevoir et de vous faire admirer nos réalisations. Si vous voulez bien me suivre...

A la grande surprise de Tara, ces bâtiments très anciens abritaient un équipement ultra-moderne.

— La première étape, dans la fabrication du vin, est le foulage des grappes, expliqua Manduca. Ce foulage commence dès le début de la récolte — aux mois d'août et de septembre — et se poursuit durant cinq semaines environ. Cette première machine sophistiquée, à droite, écrase les raisins et en extrait les pépins. Ensuite...

Il s'avança vers une autre machine gigantesque et poursuivit :

— ... le moût obtenu passe dans un nouvel engin qui sépare la pulpe du jus proprement dit. Le jus, à son tour, est amené dans des citernes de fermentation par un système de tuyaux.

Ils passèrent dans une immense cave voûtée qui abritait les citernes en question. Tara frissonna machinalement ; l'air était très frais. Cependant, elle était si absorbée par le récit de leur guide qu'elle n'y prêta aucune attention. Mais le baron avait remarqué ses bras nus et il les lui frotta pour les réchauffer. D'un geste vif, elle s'écarta. John Manduca, après avoir répondu à une question d'Aithne, reprenait :

— La fermentation dure en général trois semaines. Si l'on laisse dans le jus une certaine quantité de la pulpe, tout au long de ces trois semaines, on obtient du vin rouge ; si, au contraire, on retire les pulpes au bout de quelques jours, le vin est alors ce que l'on appelle du vin blanc.

Dans la salle suivante, des employées étaient occupées à stériliser et à contrôler les bouteilles de verre destinées à l'emballage. Le bruit était insupportable ; il était impossible de s'entendre parler. Tara, restant un peu à la traîne pour observer le travail des ouvrières, leur sourit. Au bout de quelques minutes, Federico surgit à côté d'elle et lui fit comprendre par gestes qu'elle devait le suivre.

Ils pénétrèrent dans une pièce aux dimensions un peu plus restreintes. Des centaines de bouteilles trônaient sur les étagères, ainsi que des cornues, des flacons, des becs Bunsen... On se serait cru dans l'antre de quelque mystérieux alchimiste. Le silence, en tout cas, était total, et contrastait agréablement avec le vacarme de l'atelier précédent.

— Nous devons avoir une petite conversation, lança l'homme en fermant la porte avec soin.

— Pourquoi cela ? rétorqua-t-elle d'un ton glacial. Pensez-vous à m'offrir vos excuses pour votre impardonnable conduite d'hier soir ?

— Ma conduite, chère enfant, était provoquée par un malentendu sur lequel j'aimerais entendre vos explications...

Il s'arrêta un court instant et ajouta d'une voix radoucie :

— Tara, pourquoi ne m'avez-vous pas dit que c'était Aithne, et non vous, qui avait dérobé le pendentif ?

Elle sursauta, d'abord surprise, puis soulagée d'être innocentée et de ne plus avoir à subir sa vindicte. Sans s'en rendre compte, elle appréciait pleinement de se retrouver dans les bonnes grâces de son époux.

— Comment avez-vous appris la vérité ? murmura-t-elle.

— En tant que directeur du casino, j'ai accès aux registres. Il m'a été facile de découvrir la véritable coupable... Mais vous n'avez pas répondu à ma question. Par quel étrange sentiment de loyauté exacerbée avez-vous décidé de ne pas dénoncer votre sœur ?

La jeune femme avala sa salive. Elle n'avait aucune raison de ne pas se montrer sincère.

— Aithne est fort jeune, indiqua-t-elle, et surtout extrêmement impulsive. Elle a trouvé ce bijou sur elle par hasard, et n'a pas su résister à la tentation de l'utiliser. Vous connaissez certainement, après tout, son côté faible et influençable...

Sa voix était devenue très froide lorsqu'elle conclut :

— L'opinion que vous avez d'elle compte énormément à ses yeux. Elle était sûre de pouvoir vous rembourser.

Federico accepta l'explication avec un sourire légèrement amusé.

— Votre cadette est effectivement assez instable, commenta-t-il, mais néanmoins charmante. Nous sommes devenus assez bons amis, elle et moi. Je suis en même temps étonné et déçu qu'elle n'ait pas fait directement appel à moi pour résoudre ses ennuis.

Tout en parlant, il s'approcha jusqu'à frôler le bras de l'Irlandaise. Elle se raidit mais garda la tête penchée. Ses mains jouaient machinalement avec un tube de verre. Un puissant magnétisme se dégageait de la proximité de l'autre, une force irrésistible devant laquelle les battements de cœur de Tara s'accéléraient. Son sang courait plus vite dans ses veines, ses nerfs se tendaient... Elle se sentait submergée par une étrange faiblesse, et se souvenait contre sa volonté des moments où elle avait été serrée dans ces bras bronzés, emportée par une passion brûlante. Ce lien corporel entre eux était plus violent qu'aucune autre expérience jamais subie par la jeune femme. Cependant, l'affection de Federico envers Aithne prouvait bien qu'il n'attachait en fait aucune importance à ce qui s'était produit lors de la nuit de noces.

— Ma sœur serait venue vous trouver sans hésitation, si elle s'était doutée de votre sympathie envers elle, répliqua l'autre d'un ton à la fois amer et railleur.

Ses mains étaient saisies d'un tremblement nerveux, et elle les glissa dans ses poches pour les dissimuler.

Son interlocuteur garda le silence un long moment. Son regard était fixé sur Tara ; celle-ci en était consciente et n'osait pas lever les yeux. Enfin, il prononça d'une voix lente :

— Seriez-vous... jalouse, par hasard ?

Furieuse, humiliée, l'interpellée fit un geste brusque. Elle heurta du coude un flacon de verre qui vint s'écraser sur le sol en mille éclats.

— Jalouse ? répéta-t-elle avec colère. Nous ne devons pas avoir les mêmes conceptions... Une femme éprouve cette sorte de sentiment lorsqu'elle craint que son amour ne soit réciproque ; comment pourrait-ce être mon cas, puisque je ressens uniquement de la haine à votre encontre ?

La bouillante Irlandaise avait dû s'exprimer avec conviction, car son interlocuteur recula d'un pas, le visage blême. Ses lèvres se durcirent et il riposta :

— Vos paroles sont plus blessantes qu'un poignard, Tara. Les douleurs que vous infligez ne sont pas de celles qui se cicatrisent.

Un peu plus tard, quand ils reprirent le chemin du palais, l'atmosphère était extrêmement pesante. Aithne, visiblement, s'en rendait compte. Ignorant totalement sa sœur, elle concentrait tous ses efforts à tenter de dérider le conducteur. Au bout d'un moment, il consentit à sourire à son bavardage et, indiquant une splendide villa blanche au sommet d'une colline, il proposa :

— Aujourd'hui, je crois, nous méritons un déjeuner particulièrement soigné. Cette demeure appartient à l'un de mes amis, Ben Vittoriosa. Il l'a d'abord exploitée comme ferme, mais le rendement n'était pas très bon, et finalement toute la famille a décidé de renoncer à l'agriculture et d'ouvrir un restaurant. Ils produisent eux-mêmes leur nourriture, et Ben est un cuisinier hors pair. Sa réputation, à présent, dépasse largement les frontières de l'île de Malte.

Après avoir garé la voiture, il guida ses compagnes sous un passage voûté. Après avoir traversé une cour encore encombrée d'instruments agricoles anciens, ils entrèrent dans une vaste salle aux murs blanchis à la chaux. Sur de lourdes tables de bois rustique, des bougies à la flamme vacillante diffusaient une douce lumière. Les parois étaient décorées d'anciennes roues de charrettes et de jougs massifs. Au fond de la pièce, une immense cheminée abritait un feu pétillant. Un peu partout, des vases emplis de fleurs jetaient une note vive et corrigeaient harmonieusement l'atmosphère austère de l'ensemble.

Un serveur s'approcha du petit groupe et les conduisit vers une table. Au moment où ils allaient s'asseoir, une voix appela soudain de l'autre bout de l'auberge :

— Federico ! Tara ! Aithne ! Quelle bonne surprise ! Venez donc vous joindre à nous...

Les intéressés se retournèrent ; Mario et Dolores de Marco venaient juste de commencer leur repas. Il y avait encore peu de monde et les nouveaux venus purent s'installer juste à côté de leurs amis.

La jeune baronne était fort satisfaite de rencontrer la Maltaise. Elle souhaitait lui parler depuis longtemps et appréciait sa compagnie. La cadette des O'Toole, pour sa part, avait adopté une expression boudeuse. Tant que ses liens avec les de Marcos avaient servi ses intérêts, elle leur avait fait bonne figure ; mais à présent, ils ne lui étaient plus d'aucune utilité, et elle le laissait deviner sans politesse.

Dolores, radieuse, se pencha vers Tara.

— Si vous n'avez pas encore goûté aux « lampuka », je vous recommande vivement d'essayer. C'est un peu notre plat national, et il est à base de crevettes, de langoustines et de langoustes. Le chef le réussit avec un succès particulier !

Au même instant, le propriétaire du restaurant, Ben, faisait son apparition. C'était un petit homme rubicond et jovial ; la façon dont il salua Federico était révélatrice de leur profonde amitié.

— Mes chers amis, lança-t-il à la cantonade, j'ai malheureusement bien peu souvent le plaisir de votre compagnie, et je ne saurais dire quelle joie c'est pour moi de vous recevoir. En particulier, je suis enchanté de faire enfin la connaissance de la ravissante baronne Cortes !

Il s'inclina devant Tara. Celle-ci lui serra la main en souriant. Intérieurement, elle se maudissait de n'avoir pas suivi les conseils de Bridget sur sa tenue. Tous les clients étaient impeccablement habillés. Le style de la maison était extrêmement élégant... Federico, d'ailleurs, lui jeta un coup d'œil ironique, comme s'il venait de deviner les préoccupations de son épouse. En fait, se demanda-t-elle soudain, n'avait-il pas agi intentionnellement en la conduisant dans un endroit où elle se sentirait mal à l'aise ? Ne cherchait-il pas encore une fois à se venger en l'humiliant ? Il était évident qu'il prenait un malin plaisir à la voir embarrassée...

Heureusement, le baron se plongea bientôt dans une conversation animée avec Mario et l'Irlandaise put chuchoter à loisir avec Dorothée sans être entendue.

— J'ai besoin de vos conseils, supplia-t-elle. Federico veut donner une soirée et il m'a demandé de tout organiser. J'aimerais préparer une réception sortant vraiment de l'ordinaire... Que me conseillez-vous ?

— Voyons... répliqua la Maltaise, les yeux brillants. L'influence libanaise est encore très vivante dans notre île, et il pourrait s'avérer intéressant de choisir un thème dans cette direction. Par exemple, vous pourriez engager une troupe de danse du ventre... C'est un divertissement extrêmement populaire, ici, et qui rencontre toujours un franc succès.

— Excellente idée ! souffla Tara, enthousiasmée. Je vous téléphonerai pour mettre les détails au point.

Sur ces dernières paroles, elle se retourna. Ben venait d'apporter un plat particulièrement succulent. Le repas tout entier se révéla une expérience gastronomique inoubliable. Après le saumon fumé, les langoustes au paprika et un soufflé de canard aux pommes de terre, les convives dégustèrent de délicieux fromages régionaux.

— En général, expliqua le baron en passant le plateau à la ronde, on commence par les fromages les plus doux et l'on termine par les plus forts. On trouve chez M. Vittoriosa l'une des meilleures sélections.

Il avala une gorgée de Bourgogne et leva son verre en direction du maître de maison, rayonnant.

— Mon cher Ben, je porte un toast à vos incomparables talents !

Après le fromage, un serveur dévoila une merveilleuse pâtisserie à base de meringue, de gâteau et de citron.

— Mon dieu ! Je ne pourrai plus avaler une seule

bouchée, gémit Tara. Ce dîner était littéralement pantagruélique !

Cependant, elle céda à l'insistance des autres et ne le regretta pas. Le dessert était véritablement extraordinaire ; elle le savoura en fermant les yeux.

Après de telles agapes il était préférable de rentrer pour prendre un peu de repos, et personne ne protesta lorsque Federico donna le signal du départ.

Dès l'arrivée au palais Cortes la baronne monta dans sa chambre pour s'allonger. A sa grande surprise, sa sœur la suivit et s'affala sans façons sur un canapé.

— J'avais l'intention de dormir, Aithne, signala l'autre un peu sèchement.

— Moi aussi... mais d'abord, j'ai plusieurs choses à te dire. Et tout d'abord, pourquoi as-tu révélé au baron que j'avais pris le pendentif ? Pour te faire bien voir de lui ?

— Jamais de la vie ! s'exclama son interlocutrice. Au contraire, il...

— Je n'en crois pas un mot ! Sinon, comment expliques-tu le fait qu'il ait remboursé les cinq mille livres de dettes que j'avais déjà contractées au casino ? Sans parler du chèque qu'il a confié à Père pour subvenir à nos besoins en attendant la vente de nos biens...

La rage et le ressentiment envahirent Tara. Cependant, elle serra les poings et se força à garder le contrôle d'elle-même. D'un ton glacial, elle répliqua :

— Et vous n'avez pas refusé cette manne soudaine ?

Aithne esquissa un sourire amusé.

— Dieu nous en garde ! « Accepte tout », m'a intimé Père, et j'ai suivi son conseil sans déplaisir aucun, je te l'assure.

Sa compagne se laissa tomber sur une chaise, épouvantée. La conduite de sa propre famille la submergeait de honte.

— En d'autres termes, fit-elle d'une voix blanche, Père a mendié auprès de mon mari...

— En quelque sorte ! approuva la cadette d'un petit ton satisfait. Et le résultat, je dois l'avouer, a largement dépassé nos espérances. Federico nous a promis de se charger entièrement de nos affaires... Nous n'avons plus à nous soucier de rien.

— C'est scandaleux ! Je suis horrifiée ! Vous me mettez dans une position impossible... J'avais pourtant affirmé ne vouloir qu'une seule chose du baron, c'est mon divorce !

Les pupilles d'Aithne se rétrécirent.

— Mais, ma chère, rien ne t'empêche de parvenir à tes fins à ce sujet... L'attitude de ton époux, récemment, tendrait à prouver qu'il pourrait se laisser convaincre de se séparer de toi.

Elle sauta sur ses pieds et gagna la porte d'un pas léger.

— Parle-lui-en, conclut-elle gaiement. Tu seras surprise !

11

Tara s'étira dans son lit, les yeux fixés au plafond. Durant les huit semaines qui avaient suivi son mariage, elle n'avait connu aucun répit. La situation empirait régulièrement. Federico, à présent, ne l'invitait plus jamais à aucune des sorties qu'il organisait avec Aithne. Cette dernière, d'ailleurs, paraissait absolument aux anges ; elle était suspendue aux lèvres du baron, buvait ses moindres paroles, le flattait sans arrêt pour mettre un baume sur son amour-propre blessé... Apparemment, la rusée jeune fille avait eu raison quant aux changements de sentiments de l'homme. Il semblait totalement indifférent à son épouse et ne recherchait plus sa compagnie. Dès l'instant où elle reparlerait de divorce, Tara en était sûre, elle ne rencontrerait aucune opposition.

La jeune femme avait même décidé de ne plus attendre. Elle remettrait la question sur le tapis le jour même, dès la fin de la soirée organisée au palais Cortes. Dolores et elle-même avaient beaucoup travaillé pour cette réception, organisant les moindres détails, mettant au point le repas et le spectacle prévu. Tout était prêt ; dans quelques heures, les invités commenceraient à affluer.

L'Irlandaise soupira avec nervosité. Elle ressentait une étrange envie de fondre en larmes. Il se trouvait que la date était celle de son vingt et unième anniversaire. Ce jour aurait dû être le plus heureux de sa vie, celui où, théoriquement, elle entrait en possession de son héritage... Mais la perte de sa fortune n'était pas le plus douloureux ; le pire, c'était de voir combien tout son entourage semblait avoir oublié cet anniversaire. Federico pouvait fort bien ne pas être au courant, évidemment : mais comment Aithne et Ronald étaient-ils capables de l'ignorer ?

On frappa discrètement à la porte ; elle se redressa sur ses oreillers. Ce devait être Bridget. La vieille dame, du moins, penserait tout de même à lui souhaiter ses vingt et un ans !

— Bonjour, ma chère petite, lança gaiement la gouvernante. Voici ton petit déjeuner !

Elle posa le thé fumant sur la table de chevet et traversa la pièce pour ouvrir les rideaux. Un soleil éblouissant inonda la chambre.

— Encore une journée magnifique qui s'annonce ! commenta-t-elle. Cela dit, je regrette parfois nos vertes collines d'Irlande et même nos averses si fréquentes... La chaleur, ici, est parfois trop lourde.

Elle ouvrit la porte du placard et poursuivit :

— Quelle robe souhaites-tu revêtir, aujourd'hui ? Quelque chose de simple et de peu salissant, peut-être, pour parachever la préparation de la fête.

Tara retint un sanglot et considéra l'autre avec reproche. Elle aussi avait oublié ! Ravalant ses larmes, elle but une gorgée de thé et rejeta les couvertures pour mettre pied à terre. Il ne fallait pas se laisser aller à la tristesse et s'apitoyer sur soi-même. Cela ne résoudrait rien... Dès demain, probablement, elle quitterait Malte. En attendant, elle se concentrerait sur les activités de la journée pour ne songer à rien d'autre.

— Donne-moi un pantalon et un chemisier, conseilla-t-elle. Je vais...

Elle s'interrompit. Alors qu'elle se mettait debout,

une soudaine nausée l'avait envahie. Les murs de la pièce tourbillonnaient autour d'elle...

Tara se rassit sur le lit, le teint livide. Que se passait-il ? Elle ne s'était jamais sentie aussi proche de l'évanouissement...

En une seconde, Bridget fut prêt d'elle. Elle lui saisit la main et intima avec douceur :

— Allonge-toi, cela va passer dans une minute.

La jeune femme ferma les yeux. Au bout de quelques instants, effectivement, la pièce s'arrêta de tourner.

— J'ignore ce qui m'arrive, chuchota-t-elle d'une voix anxieuse. Je n'ai rien éprouvé de semblable auparavant...

— Naturellement ! assura son interlocutrice, comme si tout lui semblait parfaitement normal. Mais c'est logique ! Tu es enceinte. A vrai dire, je m'en doutais déjà depuis quelque temps. Tu étais pâle, un peu léthargique, souvent irritable...

— En... enceinte ? répéta Tara d'un ton incrédule. Mais c'est impossible !

Miss Mc Bride éclata de rire.

— Quelle enfant tu fais ! Non seulement ce n'est pas impossible, mais cela s'est bel et bien produit. Ma chère Tara, tu attends un bébé !

— Tu as l'air de t'en réjouir ! articula l'autre d'une voix blanche. C'est une véritable catastrophe !

Le visage de la gouvernante se ferma.

— L'approche d'une naissance n'est jamais une catastrophe, ma fille, jeta-t-elle avant de sortir d'un pas digne.

Tara se laissa retomber contre ses oreillers, envahie par un terrible sentiment de froid et de peur. D'une main tremblante, elle explora les contours de sa taille. Son ventre paraissait toujours aussi plat, aussi tendu... Bridget pouvait-elle avoir raison ? Un nouvel être, une réplique miniature de Federico se trouvait-il vraiment en germe au plus profond de son corps ?

Ses pensées volèrent encore une fois vers sa nuit de noces, sur l'île de Gozo. Les cœurs et les colombes entrelacés des dentelles évoquaient bien la fertilité... Elle revivait avec netteté les moindres instants de l'épisode, entendait le bruit des flots contre les rochers proches, sentait les parfums des jasmins embaumant la chambre... Entre les draps de soie, la passion avait succédé à la lutte, et l'apaisement à la passion. Et au milieu des baisers, de la tendresse, de la tiédeur de la nuit, un enfant avait été conçu...

Avec un profond soupir, la jeune femme se versa une tasse de thé et mordit pensivement dans un toast. Elle attendit d'être parfaitement calme pour s'habiller avec soin et descendre au rez-de-chaussée.

A sa grande surprise, Federico était debout dans le hall, une expression méditative sur le visage. Il sourit largement en apercevant son épouse. Tara avala sa salive. L'homme qui se tenait devant elle n'était plus un étranger, ni même un mari temporaire ; c'était le père de son bébé... Elle retint un geste de panique lorsqu'il s'approcha d'elle.

— Je vous attendais, expliqua-t-il.

Sa voix était dépourvue d'agressivité, presque douce.

— Vraiment ? balbutia-t-elle, le cœur battant. Pourquoi ?

Pendant un court instant, il resta silencieux. Son regard parcourait avec attention la bouche frémissante de la jeune femme, ses pommettes roses sous l'émotion.

— Vous semblez... différente, murmura-t-il. Pourtant, hier, je ne vous avais pas trouvé très bonne mine. Je songeais même à vous conseiller d'économiser vos efforts dans la préparation de la soirée. Mais aujourd'hui, vous rayonnez de manière étrange...

Il fit une pause. Tara se détourna légèrement, craignant de voir son secret dévoilé. Cependant, l'autre reprit d'un ton neutre :

— Venez avec moi. Je tiens à vous montrer quelque chose ; il n'y en a pas pour longtemps.

Comme elle faisait mine de protester, il précisa :

— Cela nous prendra à peine dix minutes.

Alors qu'ils s'installaient dans la voiture, l'Irlandaise se félicita intérieurement d'avoir choisi une tenue qui mettait en valeur la nouvelle maturité de sa féminité. Sur une jupe à volant, d'un vert émeraude, elle avait ajusté une tunique de dentelle blanche, entièrement rebrodée, serrée à la taille et aux poignets. Federico lui jeta un coup d'œil et dissimula un sourire : sa jeune épouse, à cet instant précis, ressemblait à une petite fille heureuse de partir en promenade.

Le trajet, effectivement, fut très court. Le véhicule sortit de la ville et s'engagea dans la campagne. Au bout de deux minutes, le baron s'arrêta devant une prairie bordée d'une barrière blanche. Il vint ouvrir la portière de sa compagne puis tous deux s'engagèrent dans un étroit sentier. Au bout de quelques mètres, après un tournant, Federico tendit le doigt vers un bosquet d'arbres. Etonnée, Tara dirigea son regard dans la direction indiquée. Et là, sous les feuillages, deux chevaux étaient occupés à paître paisiblement. La jeune femme se raidit, éprouvant une sensation étrangement familière. Elle reconnaissait l'élégante silhouette des animaux, leur allure orgueilleuse...

— Joyeux anniversaire, Tara, murmura doucement l'homme.

Elle lui adressa un coup d'œil incrédule, puis soudain se mit à courir sans pouvoir se retenir.

— Caliph ! Traleen ! cria-t-elle de toutes ses forces. C'est merveilleux...

Le poulain et la jument pointèrent leurs oreilles et se dirigèrent vers elle. Caliph arriva le premier ; il poussa un hennissement de joie et Tara se précipita pour entourer de ses bras le cou de la bête. Au comble du bonheur, elle passa de longues minutes à flatter et à

128

caresser ses chers compagnons. Elle avait cru les perdre pour toujours et l'émotion de les retrouver la bouleversait.

— Traleen, ma vieille amie, tu as maigri, s'écria-t-elle. La traversée en bateau a dû vous être fort pénible, n'est-ce pas ? Calme, Caliph, calme. Je ne vous quitterai plus, maintenant !

Tout d'un coup, sans s'en rendre compte, elle fondit en larmes. Malgré la tension permanente, les jours précédents, elle avait réussi à se contrôler ; mais cette fois la nervosité l'emportait. Appuyée contre le poulain, qui n'osait bouger tant il était déconcerté par les pleurs de sa maîtresse, elle sanglota sans retenue, incapable de s'arrêter.

Immobile, un peu à l'écart, le baron contemplait la scène d'un regard ému. Il attendit quelques minutes que la jeune femme cessât de pleurer puis la saisit doucement par la taille pour l'écarter de l'animal.

— Tara… Je ne m'étais pas aperçu de l'ampleur de votre désespoir, souffla-t-il d'une voix rauque. Remettez-vous, je vous en supplie. Nous serons bientôt rentrés à la maison.

Elle écouta machinalement ses paroles, se demandant pourquoi des phrases aussi banales étaient prononcées avec une aussi profonde tristesse.

L'Irlandaise croyait en avoir fini avec les péripéties de la journée. Il lui avait fallu de longs instants pour se remettre… Cependant, quelques heures plus tard, elle reçut un coup de téléphone complètement affolé de Dolores de Marcos.

— Tara, haleta celle-ci, il s'agit de la danseuse du ventre, celle qui devait diriger la troupe… Elle s'est foulé la cheville et sera incapable de tenir son rôle, ce soir !

— Oh, non ! gémit l'autre. Est-il possible de la faire remplacer ?

— Impossible ! Aucune autre n'a réussi à se libérer. Celle-ci était la dernière à être disponible…

— Attendez, coupa soudain son interlocutrice. J'ai peut-être une idée… Votre danseuse pourrait-elle me prêter son costume ? Juste pour la soirée, naturellement.

— Mon Dieu, je lui demanderai, répondit Dolores d'une voix intriguée. Elle sera certainement d'accord. Mais qu'est-ce que…

— Apportez-le, insista Tara. Je vous expliquerai plus tard.

Elle raccrocha pensivement le téléphone. Plus elle y songeait, plus son projet lui paraissait réalisable. En outre, c'était la seule solution… La fête prévue par le baron ne pouvait pas risquer d'essuyer un échec ; Tara accordait une immense importance à son succès. Car, sitôt les invités partis, elle demanderait le divorce à son mari. Auparavant, elle voulait que tout soit parfait. Ce serait en quelque sorte son chant du cygne… Et dès le lendemain, par le premier avion, elle reprendrait le chemin de l'Irlande. Federico ne s'opposerait certainement pas à son départ. Si elle souhaitait organiser la soirée à la perfection, c'était pour lui rendre hommage. Après tout, l'homme avait énormément de défauts, mais il s'était montré extrêmement généreux, et elle tenait à lui exprimer sa gratitude. Ainsi, il saurait combien elle lui était reconnaissante d'avoir agi avec une grande tolérance envers la famille O'Toole, et surtout d'avoir fait amener les chevaux sur Malte…

Tara finissait de s'habiller pour le dîner lorsque son époux vint la chercher pour l'escorter à la salle à manger. Il pénétra dans la chambre avec sa souple démarche coutumière. Sa tenue, ce soir-là, était particulièrement raffinée. Il portait un smoking blanc sur une chemise bordeaux ; ses boutons de manchette étaient ornés de diamants qui accrochaient discrètement la lumière. Tout en lui offrant son bras, il examina sa compagne avec admiration. Elle avait accordé un soin spécial au choix de ses vêtements, tant elle était désireuse de paraître à son avantage. Sa robe de soirée était absolument merveilleuse ; la soie était imprimée de fleurs aux teintes délicates et retombait en plis bruissants, jusqu'aux pieds, à partir d'un décolleté orné de fine dentelle ivoire. Sur ses épaules nues, Tara avait glissé une écharpe de gaze aérienne, mettant en valeur la perfection de son cou et de son teint. C'était une voilette de grand couturier et la jeune femme avait passé l'après-midi à s'entraîner devant son miroir pour contrôler ses gestes. Une tenue aussi sophistiquée impliquait de s'asseoir, de bouger, de marcher avec une grâce infinie. Dans ses escarpins de satin assortis à l'ensemble, elle se sentait à présent parfaitement sûre d'elle.

— Vous êtes très belle... une très belle énigme, commenta Federico. Un jour vous ressemblez à une enfant, le lendemain à une véritable star...

Son regard exprimait la convoitise d'un affamé devant un banquet. Il se raidit imperceptiblement avant d'ajouter :

— Je regrette de ne pas vous avoir fait encore visiter ma caverne. Elle a été creusée dans le rocher, par la mer, et on peut seulement y accéder en bateau. L'eau y prend d'extraordinaires teintes turquoise. D'après la légende, les sirènes s'y réunissaient pour entonner leurs chants magiques destinés à séduire les marins... On appelle l'endroit la « caverne bleue », mais en fait, la mer y est d'un vert très proche de celui de vos yeux.

— Nous... nous ferions mieux de descendre, balbutia Tara, embarrassée. Les domestiques doivent attendre mes instructions.

Légèrement contrarié par ce qu'il prenait pour une rebuffade, le baron ne répondit pas. Ses lèvres se serrèrent et il se dirigea vers l'escalier.

La vaste salle avait été entièrement transformée par

Dolores et Tara. Avec l'aide des employés de la maison, elles avaient mis au point un décor et des éclairages destinés à créer une atmosphère typiquement libanaise. Lorsque les premiers invités pénétrèrent dans la pièce, l'orchestre attaqua une ravissante mélodie, accordée à l'élégant exotisme de la décoration. Des extras, le plateau à la main, circulaient en offrant de délicieux cocktails orientaux : des « Xarba Al-Hana », à base de raki et de rhum avec une pointe de citron et de champagne, des « Merhba », composés de gin aromatisé de liqueur de cassis et décoré d'une feuille de menthe...

Federico prit un verre et en offrit un à sa compagne.

— A notre anniversaire, déclara-t-il en portant un toast.

Mais sa voix était sèche et sans joie.

Mal à l'aise devant l'amertume de l'homme, Tara arrivait difficilement à garder le sourire pour accueillir ses hôtes. Ceux-ci, inconscients de sa nervosité, lui adressaient de multiples félicitations. La soirée leur paraissait extrêmement réussie et ils étaient enchantés par son originalité. Le buffet, lui-même, avait été composé avec art par un chef originaire de Beyrouth. Sur la longue table étaient présentés une multitude de plats divers ; feuilles de vignes farcies, kebabs, tartelettes fourrées aux épinards, aux oignons et aux citrons.

La baronne se sentait incapable d'avaler la moindre bouchée. Elle hésitait devant une pâtisserie lorsqu'une voix gracieuse la fit se retourner.

Dolores de Marcos lui décocha un sourire radieux.

— Tout n'est-il pas merveilleux ? s'exclama-t-elle. Cela change tellement de ces dîners mondains d'ordinaire si formels et si ennuyeux... Plusieurs personnes m'ont fait part de leur satisfaction avec enthousiasme.

— Avez-vous apporté le costume de la danseuse ?

— Oui. Je l'ai remis à Bridget, qui m'a promis de le

poser dans votre chambre. Mais je ne comprends toujours pas...

— Plus tard, plus tard, taquina gentiment Tara avec une expression malicieuse. Soyez patiente ! Ce sera une surprise.

La Maltaise avait l'air profondément interloqué, mais elle n'insista pas. Les deux jeunes femmes contemplèrent un instant les danseurs. Dolores remarqua en fronçant les sourcils qu'Aithne serrait de fort près son valseur, en l'occurrence, le baron lui-même... D'un ton sec, elle commenta à l'oreille de sa compagne :

— Votre époux est un homme très séduisant, Tara. A votre place, je serais jalouse... Même de ma propre sœur !

Sa sécheresse était tout entière dirigée contre la cadette, et l'aînée des O'Toole le comprit fort bien. Cependant, elle répondit d'une voix neutre :

— Aithne est encore très immature, ce qui n'est pas le cas de Federico. Si elle s'amourache de lui, c'est surtout lui le responsable. Après tout, il y a quelques mois, leur amitié était assez intime...

Son interlocutrice haussa les sourcils, exprimant la plus profonde surprise.

— Vraiment ? murmura-t-elle. Je n'étais pas le moins du monde au courant.

C'était au tour de Tara de s'étonner.

— Comment est-ce possible ? C'est vous-même qui les avez présentés l'un à l'autre, Dolores. Quand ma sœur a eu une liaison avec Federico, elle logeait sous votre propre toit !

— C'est entièrement faux ! protesta vivement l'autre. Je ne comprends pas comment vous avez pu penser...

Elle baissa le ton et poursuivit avec chaleur :

— Jusqu'à votre arrivée, ma chère Tara, votre mari est toujours resté sur sa réserve, avec toutes les femmes. Certes, il a eu beaucoup de relations féminines, mais celles-ci n'ont jamais dépassé le stade de l'amitié. Federico, en fait, remplit de désespoir toutes les mères de Malte désireuses de bien marier leur fille ! Sa réputation est absolument sans taches... S'il arrivait qu'une jeune héritière s'entiche de lui, il s'excusait poliment de ne plus la voir et partait s'enfermer plusieurs semaines à Gozo. Vous êtes la seule à avoir transformé ce solitaire, à avoir partagé sa retraite dans son île...

Tara sentit le sang se retirer de son visage. Serrant nerveusement les poings, elle prit une profonde inspiration.

— Cela ne veut rien dire, objecta-t-elle d'une voix brisée. Peut-être savait-il garder les apparences... Mais comment se rendre compte si, dans le cas d'Aithne...

— Le cas d'Aithne, comme vous dites, intervint fermement Dolores, n'a tout simplement pas existé. Non que votre sœur n'ait pas entrepris des tentatives désespérées, naturellement ; mais le baron, à aucun moment, ne lui a prêté la moindre intention. Après tout, j'étais présente, et je sais très bien comment les choses se sont passées. Durant toute la durée de son séjour, Aithne s'est systématiquement fait inviter à tous les cocktails où elle était susceptible de rencontrer Federico. D'ailleurs, ses efforts étaient tellement visibles qu'au bout d'un mois les gens renonçaient à lui lancer des invitations, par souci de ne pas importuner celui qui est à présent votre mari... En fait, il n'était même pas utile de les séparer ; il ne s'apercevait jamais de la présence de cette blonde Irlandaise. A l'époque, il s'intéressait plutôt à une jeune Américaine récemment arrivée... C'est ce qui le rend si séduisant ; il prend extrêmement au sérieux les femmes qu'il juge intéressantes. Il a longtemps cherché la candidate idéale... Et il a fini par vous rencontrer !

Elle eut un léger rire et conclut :

— Vous ne connaissez pas votre chance...

Tara s'écarta, hésitant à croire qu'Aithne ait pu mentir. C'était impossible.

— Federico est un homme très intelligent, commenta-t-elle d'une voix tremblante. Assez intelligent pour protéger sa réputation tout en agissant comme il lui convient.

Dolores s'apprêtait à répondre, mais le baron lui-même se dirigeait vers les deux femmes.

— M'accorderez-vous cette danse, Tara ? demanda-t-il gravement, avec une légère inclinaison du buste.

Il la saisit par la main et l'entraîna sur la piste sans lui laisser le temps de répliquer.

L'homme était un remarquable danseur. Emportée par le rythme de la musique, l'Irlandaise levait les yeux et observait discrètement le profil aquilin de son compagnon. Une fois encore, elle songeait au sang arabe et espagnol coulant dans ses veines, aux conquérants fougueux dont il était le digne descendant...

— Détendez-vous, chuchota-t-il en la serrant contre lui. Tout se déroule parfaitement bien. Je suis fier de vous !

Sa voix, à nouveau, portait la trace d'une tendresse toute proche, d'une douceur à laquelle la jeune femme craignait de succomber chaque fois qu'elle la voyait surgir... Elle s'écarta légèrement, comme si elle craignait d'être brûlée par le feu d'une passion endormie mais prête à s'éveiller.

Dès l'arrêt de la musique, elle s'arracha aux bras de son époux et monta rapidement dans sa chambre. Il lui fallait se préparer pour le clou de la soirée.

Un an plus tôt, en Irlande, elle avait remarqué avec une amie une annonce pour des cours de danse du ventre. Au début, l'idée les avait fait sourire ; puis, finalement, elles avaient trouvé la chose originale et avaient décidé de s'inscrire. Tara, très rapidement, s'était révélée fort douée pour cet art complexe et possédait une grâce digne des danseuses orientales.

Elle ôta avec précaution sa robe de soirée et se glissa dans le costume apporté par Dolores. Une jupe de mousseline bouffante, assez large, était complétée par une sorte de bustier profondément décolleté et entièrement recouvert de strass; sur ses chevilles nues, la jeune femme agrafa de nombreuses chaînes d'or. Enfin, elle dénoua son chignon et se brossa vigoureusement les cheveux pour les laisser flotter sur ses épaules. Elle n'osait contempler, dans le miroir, son nombril exposé aux regards par l'espace existant entre la jupe et le bustier. Inspirant calmement pour se donner courage, Tara redescendit au rez-de-chaussée.

La musique s'était arrêtée; les valseurs avaient évacué la piste. Une troupe de danseuses avait pris leur place et le chef d'orchestre, visiblement, attendait l'arrivée de leur meneuse pour commencer. Il aperçut l'Irlandaise qui venait juste de pénétrer dans la pièce et donna le signal du départ.

Au son de la langoureuse mélodie, évocatrice de toutes les splendeurs de l'Orient, Tara retint sa respiration comme un nageur avant de plonger et se joignit au cercle de ses compagnes. Aussitôt, elle se concentra sur ses gestes et ne pensa plus à rien d'autre. Les souvenirs des cours qu'elle avait pris lui revenaient et elle s'appliquait à retrouver les plus jolies figures; lent tournoiement des hanches, flexions du bassin, rotation du ventre... Elle était enchantée de récupérer toute sa souplesse et de n'avoir rien oublié. Après une dernière démonstration particulièrement langoureuse, elle s'arrêta en même temps que la musique, radieuse et souriante.

Hors d'haleine, la jeune femme s'inclina dans un profond salut, s'attendant à une véritable explosion d'applaudissements.

Il y eut seulement un silence pesant.

Abasourdie, Tara releva la tête. Federico traversait la salle à grands pas, le visage congestionné. Il agrippa son épouse par le cou comme un vulgaire paquet de linge et l'entraîna sans douceur au milieu des invités. L'espace d'un éclair, la malheureuse aperçut des expressions sidérées et choquées, entendit des balbutiements réprobateurs... Le baron ne prononçait pas un mot. Ils sortirent et la porte se referma brutalement derrière eux.

Tara baissa les paupières en se rendant compte de la fureur contenue dans le regard de l'homme. Elle ne l'avait jamais vu dans un tel état de rage. Il lui serra le bras avec violence en la poussant dans les escaliers et dans la chambre.

— C'est assez! hurla-t-il enfin tandis que la jeune femme, tremblant de tous ses membres, se pelotonnait sur son lit. Dès le premier jour de notre mariage, vous vous êtes efforcée de me scandaliser, de bafouer sans arrêt mes sentiments, mes principes, mes amis... La haine et le mépris vous ont guidée sans arrêt! J'en étais conscient, mais je ne vous savais pas capable de vous dégrader au point de vous exposer ainsi, dans une tenue parfaitement indécente, aux yeux de tous mes invités, gesticulant et dansant comme une houri arabe dans le seul but de me couvrir de honte!

Tara retint un léger cri. La folie de son geste lui apparaissait à présent dans toute son ampleur. Son époux, elle ne l'ignorait pas, était extrêmement libéral sur bon nombre de sujets et elle le croyait assez moderne pour ne pas s'offusquer des comportements de sa femme quels qu'ils soient. En fait, il devait respecter à son encontre un code moral particulièrement strict, fort éloigné de la tolérance du XXe siècle... Mais même en tenant compte de cela, elle trouvait sa réaction disproportionnée. On n'était tout de même plus au Moyen Age, et il se montrait aussi furieux qu'un ancien cheikh punissant l'une de ses épouses pour le simple fait d'avoir dévoilé son visage !

Après un silence lourd de menaces, Federico reprit la parole. Consternée, Tara l'entendit articuler avec un calme soudain :

— Vous avez réussi dans votre entreprise, ma chère. Déjà, ce matin, je vous avais vu si malheureuse que je ne croyais presque plus à une possibilité de bonheur entre nous. Ce soir, vous avez gagné : vous aurez votre divorce.

Son teint était d'une pâleur livide et sa voix extrêmement lasse.

12

Tara restait assise, immobile, grelottant comme si elle avait froid. La voix de l'homme semblait parvenir de très loin. Elle aurait dû se réjouir, se sentir soulagée d'avoir enfin obtenu sa liberté. Pourtant, elle était seulement envahie d'une immense tristesse, d'une révolte. Elle se rendait enfin compte, mais beaucoup trop tard, qu'en fait elle ne souhaitait plus du tout la séparation. Elle était amoureuse, désespérément amoureuse de Federico !

Des mots de protestation lui montèrent aux lèvres, mais elle les retint. Le baron ne devait jamais connaître la vérité. Il ignorerait qu'elle sortait de sa vie avec un profond regret, une amertume de ne plus le savoir proche, de perdre définitivement sa voix chaude et vibrante…

— Changez-vous, ordonna-t-il d'un air sombre. Je vous attends dans le dressing-room.

— Mais je… je ne peux tout de même pas redescendre avec les invités ! répliqua-t-elle, horrifiée.

Tous les regards se fixeraient sur elle, et elle mourrait de honte…

Il se retourna sur le seuil pour insister :

— Vous le devez, fût-ce seulement pour faire plaisir à Bridget. Elle a prévu une surprise pour votre anniversaire, et en ce moment même met la dernière main à un immense gâteau. Il vous est impossible de la décevoir. Vous avez toujours manifesté un grand courage, Tara, ne le laissez pas vous abandonner maintenant.

La jeune femme s'exécuta et quelques minutes plus tard ils retrouvaient les autres. La situation était extrêmement embarrassante. Il était horriblement difficile de garder un sourire nonchalant devant les visages gênés de ses hôtes. Heureusement, la présence de Federico à ses côtés lui donnait la force de bavarder et de rire comme si de rien n'était. Le baron, d'ordinaire si réservé en public, alla même jusqu'à entourer de son bras les épaules de sa compagne et à lui déposer sur la joue un léger baiser affectueux. Cette attitude renforçait considérablement le courage de l'Irlandaise.

Peu à peu, l'atmosphère se détendit et les invités parurent oublier l'incident. Tara, devaient-ils se dire, s'était simplement conduite comme une jeune épouse un peu fougueuse, un peu maladroite ; son mari avait réagi en homme jaloux et somme toute, il n'y avait eu entre eux qu'une petite querelle d'amoureux.

Aithne elle-même se laissa tromper par l'apparente tendresse unissant momentanément le couple. Profitant d'un instant où Federico s'était un peu éloigné, elle s'approcha de sa sœur et lui glissa à l'oreille d'un ton aigre :

— Que se passe-t-il ? Je n'ai jamais vu ton mari aussi démonstratif...

Pour la première fois de sa vie, l'aînée des O'Toole éprouva une intense jalousie. Quelle que fût la priorité d'Aithne sur les sentiments du Maltais, Tara était toujours mariée avec lui. Durant deux heures encore, elle avait le droit de prétendre à la solidité de son union...

Incapable de trouver une réponse adéquate, elle évita le regard furieux de sa cadette et recula de quelques pas. Une main s'empara de la sienne, l'obligea à se retourner... Décelant un profond désespoir

140

dans les yeux de son époux, la jeune femme rassembla toutes ses forces pour lui adresser un sourire éclatant.

Il n'y répondit pas. Voyant Ronald O'Toole arriver dans leur direction, il s'écarta à nouveau. Désemparée, Tara resta sur place pour accueillir son père.

— Alors? Comment se passe l'accès à la majorité de ma petite fille? interrogea-t-il d'une voix grasseyante.

Son interlocutrice dissimula un soupir. Le vieil homme avait interrompu une minute importante, l'un des rares moments où Tara aurait pu avoir une chance de se faire pardonner par Federico... Cédant à un soudain ressentiment, elle lança d'un ton acide :

— Veillez à votre consommation, Père. Vous avez déjà eu largement votre compte de boisson, il me semble.

— Comment résister à un champagne aussi délicieux? riposta-t-il sans se démonter. En outre, aujourd'hui est un grand jour... Je n'ai pas pu assister à ton mariage, malheureusement, mais j'ai la chance de pouvoir célébrer ton vingt et unième anniversaire, et je tiens à le faire dignement !

Il marqua une pause pour boire une gorgée et reprit avec grandiloquence :

— A chaque verre que je termine, je porte un toast à ta sagesse, ma fille. Si tu ne t'étais pas mariée avec notre cher baron Cortes, nous serions à présent sur la paille. Gloire à ton bon sens !

Saisie d'un mélange confus de colère et d'embarras, Tara le guida vers une porte-fenêtre ouvrant sur la terrasse. Elle jeta un coup d'œil prudent autour d'eux pour s'assurer que personne ne pouvait les entendre puis murmura d'un ton net :

— Je ne perdrai pas mon temps à vous exprimer mon mépris devant la façon dont vous avez mendié une aide financière à mon mari, Père. Je vous dirai seulement une chose : Federico est d'accord pour divorcer. Dès demain, je m'envole pour l'Irlande, et s'il vous reste le moindre soupçon de dignité, vous prendrez l'avion avec moi. Nous demanderons à Tante Peggy de nous héberger un moment ; elle n'émettra aucune difficulté, j'en suis certaine. Ainsi, nous pourrons réfléchir au meilleur moyen de nous tirer d'affaire.

Toute son assurance envolée, Ronald O'Toole lui adressa un regard stupéfait.

— Au nom du ciel ! éructa-t-il. Es-tu devenue folle ? Ton époux a pris en charge tous nos problèmes, je te l'ai dit. Pourquoi irions-nous nous enfermer chez Tante Peggy ? Nous n'avons pas perdu notre manoir, Tara ! Il nous attend ! De toute façon, quelles sont ces bêtises au sujet d'un divorce ? Federico t'aime à la folie, et n'essaie pas de me convaincre que tu n'es pas toi aussi passionnément amoureuse de lui. Je connais bien les femmes, et je connais bien ma fille. Tu adores cet homme !

La jeune femme n'avait aucun désir d'orienter la discussion dans cette direction.

— Je ne toucherai pas à l'argent du baron, énonça-t-elle fermement. Je m'y refuse. Nous serons peut-être pauvres, mais nous sommes parfaitement capables de travailler. Après tout, vous et moi sommes experts en matière de chevaux. Avec l'aide de nos relations, nous pourrions trouver quelque chose dans ce domaine...

Le vieil homme devint écarlate. Il était sur le point d'éclater lorsque Aithne apparut sur la terrasse.

— Tara ! appela-t-elle. Bridget vient d'apporter ton gâteau...

Avec un dernier coup d'œil suppliant à l'égard d'un Ronald au bord de l'apoplexie, sa sœur pénétra à l'intérieur. Les lumières s'éteignirent et son attention fut attirée par la superbe pièce montée, couverte de petites bougies allumées, que Bridget poussait fièrement au milieu de la salle sur une petite table roulante.

L'orchestre commença à jouer en sourdine « Happy Birthday to you ». Le baron vint saisir la main de sa femme et la guida vers la petite table ; leurs regards se croisèrent au-dessus de la lueur vacillante des vingt et une bougies.

— Faites un vœu, indiqua-t-il en souriant.

Elle s'exécuta en fermant les yeux, se concentrant de toutes ses forces. Puis, au milieu d'un tonnerre d'applaudissements, elle souffla sur les bougies jusqu'à ce que chacune d'elles fût éteinte. De minuscules volutes de fumée bleue se dissipèrent dans l'atmosphère. Tara les considéra les larmes aux yeux, se souvenant soudain de son mariage, des cierges, des masses de fleurs, des paroles qu'elle avait murmurées — « je promets de vous aimer et de vous chérir » — en ignorant alors combien elles étaient sincères...

Son vœu d'aujourd'hui ne se réaliserait pas, elle le savait. Cependant, s'efforçant de dissimuler son émotion, elle sourit à la ronde et saisit le couteau des mains de Bridget pour couper la première part du gâteau. La gouvernante continua la distribution. Les bavardages avaient repris et tous les invités semblaient aux anges ; ils avaient pardonné complètement son léger faux pas à la maîtresse de maison.

Pendant un long moment, la jeune femme remplit à la perfection son devoir d'hôtesse. Elle répondait gaiement à chacun, riait avec les autres, et personne ne semblait s'apercevoir de son profond désarroi. Cependant, après une heure, elle sollicita de son mari la permission de se retirer.

— Je suis très lasse, dit-elle pour s'excuser. Si cela ne vous ennuie pas...

— Bien sûr, montez dans votre chambre, acquiesça-t-il. D'ailleurs, plusieurs personnes commencent déjà à partir.

Il l'escorta jusqu'à l'escalier. Il allait s'en retourner dans la salle lorsqu'elle l'arrêta d'une voix suppliante :

— Federico...

— Oui ?

— Je... j'aimerais prendre l'avion dès demain, si c'est possible.

— Déjà ? répondit-il d'un ton neutre.

Puis il ajouta en haussant les épaules :

— Très bien... Nous arrangerons cela.

Une demi-heure plus tard, lorsque Bridget pénétra dans la pièce, Tara était allongée sur son lit, tout habillée.

— N'es-tu pas encore couchée ? interrogea la gouvernante, l'air surpris. Tu devrais songer à te reposer, pourtant. Dans ton état...

La jeune femme tourna vers elle un visage d'une extrême pâleur.

— Il est tard, je le sais. Mais je t'attendais pour m'aider à faire mes bagages... Je pars demain.

— Tu pars ? répéta l'autre d'un ton inquiet. Et où cela ?

— En Irlande, naturellement, répliqua Tara d'une voix tremblante. Le baron est d'accord pour divorcer. Plus tôt je sortirai de sa vie, mieux ce sera pour nous deux.

Abasourdie, la vieille dame se laissa tomber sur le lit.

— Je ne comprends pas... Comment peux-tu briser ainsi ton union, d'un seul trait ?

— Mon mariage était une erreur dont je porte toute la responsabilité. Je n'aurais jamais dû intervenir... Federico aime Aithne, c'est elle qu'il aurait dû épouser.

— Ne dis donc pas de stupidités ! objecta violemment Miss Mc Bride.

Rigide d'indignation, elle se pencha pour poursuivre :

— Je n'en crois pas un mot ! Je connais trop bien ta cadette, j'ai vu clair dans son jeu dès le début. Elle passe son temps à essayer d'attirer les regards de ton mari — alors qu'ils sont toujours fixés sur toi lorsqu'il pense que tu ne le vois pas... Pour une raison ou pour une autre, il a supporté sans broncher les puérilités

144

d'Aithne. Mais je suis sûre d'une chose ; c'est toi qu'il aime, et personne d'autre.

— Essaies-tu de me soutenir que ma sœur est une vulgaire menteuse ?

— Elle n'est pas dépourvue de défauts, soupira tristement Bridget. Personne n'est parfait... Toi-même, n'es-tu pas capable de te montrer obstinée au point d'être bornée, et parfois trop impulsive ? Aithne, elle-même, a toujours eu une nature envieuse et jalouse. Lorsque vous étiez enfants, elle convoitait tes poupées ; adolescente, elle souffrait de ta popularité et de ta beauté. Le fait que votre grand-mère t'ait désignée comme son unique héritière n'a pas arrangé les choses... Au début, ta cadette se contentait d'enjoliver un peu la réalité. Puis, peu à peu, elle s'est mise à mentir véritablement pour arriver à ses fins, et cela, tu dois le savoir. A présent, elle ne reculera devant rien pour dresser un obstacle devant ton bonheur.

— Non ! haleta Tara. Je refuse de la croire capable de tels agissements !

— Tu as tort ! Il est temps pour toi de voir les choses en face !

La jeune femme se sentait littéralement déchirée. Elle n'osait accorder crédit aux paroles de son interlocutrice. Cependant, si celle-ci avait raison... Comme Federico avait dû souffrir ! Comme il avait été injustement accusé !

Soudain, elle fondit en larmes et s'accrocha au cou de la gouvernante. Bridget la serra maternellement contre elle, essayant d'apaiser ses sanglots. Elle parlait d'une voix pressante, énonçait tous les arguments qu'elle pouvait trouver pour convaincre Tara de ne pas quitter son mari et sa nouvelle demeure.

— Tu dois aller le trouver, ma chérie, et lui expliquer sans honte et sans crainte que tu as changé d'avis. Demande-lui pardon, raconte-lui tous tes tourments, mais ne le prive pas de ses droits de père ! Le bonheur de voir cet enfant naître et grandir vous appartient à tous deux.

La jeune femme avait cessé de pleurer. Elle écoutait de toutes ses oreilles et Miss Mc Bride poursuivit d'une voix douce :

— Les Maltais ont de nombreuses coutumes charmantes concernant leur progéniture. L'une d'elles prend place le jour du premier anniversaire du bébé. Toute la famille se rassemble autour de lui ; si c'est un garçon, on pose devant lui toute une série d'objets divers, un encrier, une petite épée, des pièces de monnaie... Et suivant son choix, on prédit quels seront ses goûts et ses occupations dans le futur. S'il s'empare d'une pièce de monnaie, il aura un caractère généreux et tolérant ; s'il saisit l'encrier, ce sera un intellectuel, un avocat ; l'épée indique un tempérament fougueux et courageux... Naturellement, une cérémonie équivalente existe pour les filles, avec des rubans, de la dentelle, des poupées.

Tara, les yeux fermés, se laissait emporter par le flot des paroles apaisantes. Elle imaginait son fils — car ce serait un garçon — sous la forme d'un ravissant enfant brun, ressemblant à son père. Il choisirait l'épée, bien sûr. Le sang de ses ancêtres coulerait dans ses veines, lui donnant les capacités d'orgueil mais aussi de tendresse déjà présentes chez le baron...

— Tu dois absolument parler à ton époux, morigéna la gouvernante avec insistance. Lorsqu'il te saura enceinte, il t'interdira certainement de partir.

— Non !

L'Irlandaise s'écarta brusquement, le regard brillant à travers ses larmes.

— Je ne peux pas lui annoncer la nouvelle, protesta-t-elle. Ce serait lui faire un véritable chantage !

Cette obstination ridicule mit fin à la patience de Bridget. Rejetant toutes précautions, elle se lança dans un discours particulièrement énergique, avec la colère d'une mère essayant de sauver sa fille de l'autodestruction.

— Tu me déçois profondément, Tara ! Ton amour-propre semble avoir totalement disparu. Depuis des semaines, tu permets à ta sœur de te bafouer et de t'humilier ouvertement, sans réagir ; tu laisses ton père tirer son épingle du jeu sans lui adresser le moindre reproche ! Que sont devenues tes capacités de lutter, de répliquer ? Autrefois, aucun défi ne te faisait peur, aucun combat ne t'arrêtait... D'après toi, le baron est amoureux d'Aithne ? Fort bien, mais oblige-le à t'en donner la preuve. Tu as déjà réussi à le séduire une fois sans même te forcer, et si tu éprouves le moindre sentiment pour lui, rien ne t'empêche de recommencer. Cet homme est ton mari, le père de ton enfant... Si tu tiens vraiment à lui, bats-toi pour le garder ! C'est le meilleur conseil que je puisse te donner !

Mais la jeune femme, lasse de la discussion, renvoya la gouvernante sans un mot et se glissa dans son lit. Elle se sentait extrêmement lasse. Pendant plus d'une heure, elle se tourna et se retourna, les tempes brûlantes, incapable de trouver le sommeil. Finalement, bien après minuit, elle se leva et ouvrit la fenêtre pour se pencher au-dehors.

La tiède nuit méditerranéenne embaumait le parfum des fleurs. Les bosquets d'arbres jetaient sur le gravier des ombres d'un violet indigo ; cependant, la clarté de la lune permettait de distinguer nettement les silhouettes des palais entourant le jardin et même le bassin de la fontaine.

C'était sa dernière nuit sur Malte... songea Tara avec désespoir. Elle ne reverrait jamais les ruelles secrètes, les eaux bleu saphir de la mer, bordées de petites plages au sable argenté... Tout lui manquerait ; les nénuphars du bassin, les petits lézards se dissimulant prestement dans un recoin de muraille, les fermes aux vieilles pierres brûlées par le soleil.

Elle se demanda ce que Federico aurait pensé de l'Irlande s'il avait eu une chance de la connaître. Comme dans un film, elle en revit les vertes collines aux pentes si douces, les rivières bleutées où abondait la truite. Sa seule consolation serait de pouvoir à nouveau galoper pendant des heures dans la campagne sans rencontrer âme qui vive...

Soudain, la jeune femme sursauta. Caliph et Traleen ! Elle devrait les laisser derrière elle jusqu'à ce qu'un bateau puisse les rapatrier. Les pauvres seraient certainement éberlués par les absences répétées de leur maîtresse ! Il était impossible de partir sans leur dire au revoir, sans leur murmurer quelques paroles rassurantes.

Saisie d'une impulsion subite, Tara se précipita vers sa garde-robe et en tira un pantalon et un chaud pullover. Elle irait les trouver dès maintenant ! La prairie, après tout, n'était qu'à dix minutes de marche de la « M'dina ».

Quelques minutes plus tard, le bruit de ses pas résonnait entre les vieilles demeures silencieuses de l'ancienne cité. Une brise rafraîchissante caressait ses joues, et la fraîcheur de la nuit détendait ses nerfs à vif.

A sa grande surprise, la jument et le poulain s'étaient approchés de la clôture, comme si un mystérieux pressentiment les avait avertis de l'arrivée de Tara. Elle accéléra l'allure, heureuse de les revoir, puis s'arrêta brusquement ; la haute silhouette d'un homme venait de se détacher sur le ciel sombre.

— Tara ? interrogea la voix du baron. Que faites-vous dehors à cette heure tardive ?

Il avait posé une main sur la nuque de Caliph et ses cheveux étaient ébouriffés comme s'il s'était habillé à la hâte.

— Je... je ne parvenais à dormir, répliqua-t-elle avec nervosité.

Elle regrettait vivement son impulsion, comme si elle

était tombée dans un piège. Cependant, le baron rétorqua d'une voix indifférente :

— Moi non plus, pour être franc.

Il caressait la tête du poulain, et celui-ci renifla amicalement son nouveau compagnon.

— Caliph semble s'être pris de sympahtie pour vous, remarqua Tara. D'ordinaire, il se montre très méfiant avec les étrangers.

— Peut-être sent-il une certaine affinité entre vous et moi, plaisanta doucement son interlocuteur.

La jeune femme rougit dans l'obscurité et ne répondit pas. La jument était venue se placer près d'eux et elle la flatta à son tour, touchée par la fidélité de l'animal.

— Vos chevaux vous manqueront beaucoup, n'est-ce pas ? lança Federico d'un ton neutre. Je vous promets de vous les renvoyer aussi vite que possible.

— Merci...

L'Irlandaise avala sa salive, des larmes brûlantes lui montant aux yeux.

— Je... je vous remercie pour votre générosité, et pour votre gentillesse envers ma famille, balbutia-t-elle maladroitement mais sincèrement. Je ne connais pas l'ampleur de notre dette, mais je m'emploierai à trouver un travail le plus vite possible afin de pouvoir vous rembourser intégralement, même si cela doit prendre longtemps...

— Ne parlez donc pas de dettes, de paiements et ainsi de suite, Tara ! intima-t-il d'une voix incisive. Vous ne me devez absolument rien. C'est moi, au contraire, qui vous dois des excuses. Si j'ai pu vous venir en aide, c'est une expiation bien minime pour le prix de mes erreurs !

— Vos... vos erreurs ?

— Oui. Je me suis montré trop impatient, trop avide. Lorsqu'on aime passionnément, on a tendance à se croire aimé de retour, avec la même violence...

Il poussa un profond soupir, tourna légèrement la tête vers son interlocutrice et poursuivit :

— Par exemple, je vous ai demandée en mariage trop tôt. Normalement, les fiançailles sont prévues pour que le couple apprenne à se connaître, à s'apprécier... J'ai commis une grande faute, celle d'imposer une relation physique précoce à une jeune fille encore innocente, inexpérimentée.

Tara ouvrit la bouche pour protester, mais il ajouta :

— Je parle sérieusement. Aux yeux de la loi, certes, vous êtes à présent une femme adulte. Mais spirituellement et mentalement vous êtes encore une enfant... On a tort d'imposer un passage aussi brutal de l'adolescence à la maturité. J'aurais dû vous laisser le temps de vous adapter.

— Suis-je si naïve à vos yeux ? protesta-t-elle d'une voix tremblante.

— Naïve n'est peut-être pas le mot exact... simplement, le coup de foudre qui m'a fait tomber immédiatement amoureux de vous, n'a pas fonctionné en sens inverse...

— Quelle est votre définition de l'amour, Federico ? Un puissant attrait physique est-il suffisant, selon vous, pour servir de base à un mariage ?

Elle retint sa respiration en attendant la réponse. Pour la première fois, ils parlaient lucidement, franchement, essayant de tirer au clair les malentendus les séparant. Auparavant, ils n'en avaient jamais eu l'occasion.

— L'amour... est un besoin, expliqua-t-il simplement. Un besoin total de l'autre, à tous les niveaux. Mais s'il n'y a pas de désir réel, réciproque, il n'y a pas d'amour.

La jeune femme se sentit glacée par ces paroles. L'homme semblait avoir accepté le fait qu'elle allait partir, qu'ils seraient séparés à jamais. Elle frissonna et serra les bras contre sa poitrine.

— Le vent se lève, indiqua-t-il en l'observant. Vous ne devriez pas attraper froid… Venez, je vais vous raccompagner.

Ils s'engagèrent silencieusement dans le sentier. Au bout d'un moment, Federico reprit la parole, d'une voix presque rêveuse :

— Sous beaucoup d'aspects, vous me rappelez ma mère… Vous avez la même fierté, le même amour des animaux et de la beauté, le même courage.

— Vous lui étiez profondément attaché, n'est-ce pas ?

— Oui. Malheureusement, la nostalgie de la mort de son mari dominait toute son existence.

— Je… je suis désolée.

Le baron avait dû être un petit garçon terriblement solitaire…

— J'ai appris à apprivoiser la solitude, commenta-t-il comme s'il devinait ses pensées. La disparition de mon père avait été particulièrement tragique, car une présence paternelle est indispensable pour que l'enfant sache se conduire dans l'existence avec honneur et dignité. J'ai combattu seul pour m'efforcer d'acquérir ces qualités.

Lorsqu'ils se séparèrent, au seuil de la chambre, ces derniers mots hantaient encore l'esprit de la jeune femme. Elle referma sa porte les larmes aux yeux. Avait-elle le droit de priver son futur fils d'un guide aussi précieux que celui d'un père ? Rapidement, elle se déshabilla et se coula entre les draps. Le dilemne était particulièrement cruel. Si l'enfant était élevé en Irlande, il aurait pour seul modèle l'exemple désastreux de Ronald O'Toole, caractérisé par son égoïsme, sa suffisance, sa complète indifférence à l'égard de sa famille…

Le choix, en ce qui concernait son bébé, s'imposait donc avec évidence. Il devait vivre avec son père… Mais en ce qui la concernait, elle ? « Si tu tiens vraiment à lui… » avait affirmé Bridget. Oui, elle tenait à Federico. Elle l'aimait plus que sa propre vie !

Sans plus réfléchir, Tara se mit debout et traversa la pièce d'un pas vif, puis la salle de bains. Avant que son courage n'ait pu l'abandonner, elle avait ouvert la porte de communication avec le dressing-room.

Le baron s'était allongé tout habillé sur son lit et fixait le plafond d'un air absent. Son visage indiquait une tristesse profonde ; ses traits étaient tirés et sa bouche marquée d'un pli d'amertume. La jeune femme se sentit envahie d'une immense compassion. Ouvrant complètement la porte, elle chuchota :

— Federico…

Il tourna brusquement la tête dans sa direction, fronça les sourcils comme si l'objet de sa rêverie venait de se matérialiser devant lui, léger fantôme vêtu d'un déshabillé diaphane. Se soulevant sur un coude, il questionna froidement :

— Que se passe-t-il, Tara ? Avez-vous besoin de quoi que ce soit ?

— Federico ! répéta-t-elle dans un sanglot.

Alerté, il se mit debout et s'approcha d'elle. Ses yeux encore hésitants se fixaient de façon inquisitrice sur ceux de la jeune femme. Il humecta ses lèvres desséchées, avala sa salive…

— Parlez, je vous en supplie, insista-t-il. Que voulez-vous ?

— Vous ! hoqueta-t-elle en laissant les larmes ruisseler sur ses joues. Je… je vous aime tellement !

Il ouvrit les bras et elle vint s'y blottir, à bout de forces. Tous deux se mirent à parler en phrases hachées, balbutiant des excuses, des explications, des remords, jusqu'à ce qu'enfin tout fut apaisé, comme à la sortie d'un interminable tunnel…

La certitude d'avoir enfin retrouvé leur amour les submergea d'un sentiment d'intense soulagement. Ils échangèrent un regard radieux, émerveillés par la bienveillance du destin qui leur avait permis d'abattre enfin les obstacles dressés sur leur route par l'orgueil, les malentendus, et la malignité de leur entourage. Entourant de ses mains le visage encore bouleversé de sa compagne, le baron souffla d'une voix rauque :

— Je ne vous verrai plus jamais pleurer, Tara. Plus jamais !

Elle lui sourit avec une douceur infinie. Ses yeux verts contemplaient avec admiration les traits de l'autre, encore empreints de lassitude mais détendus. Le baron esquissa un sourire et murmura :

— Tara ! ma petite sorcière...

Leur premier baiser de paix fut aussi solennel que l'échange des vœux, le jour de leur mariage. Il contenait la promesse d'un immense bonheur à venir... Puis le désir les envahit, irrésistible, brûlant comme un feu. Tara s'abandonna à l'étreinte de l'homme. Il la serrait avec une force presque désespérée, comme un voyageur égaré n'osant pas croire à la réalité d'un mirage. Elle glissa ses bras autour de son cou, désireuse de l'apaiser, de le convaincre de sa présence et de son amour.

La tenant étroitement enlacée, il laissa son regard errer sur la pièce où il avait passé tant de nuits solitaires, tel un prisonnier arpentant sans espoir les dalles de sa cellule. Il lui semblait être soudain libéré d'un véritable cauchemar. Maintenant, enfin, il était sûr de l'amour de sa compagne...

Cependant, il fronça les sourcils et se redressa. La pièce évoquait trop encore les tortures morales qu'il y avait endurées.

— Habillez-vous, Tara, lança-t-il soudain. Vite !

— Mais... pourquoi ? interrogea-t-elle en pâlissant.

Il sourit avec tendresse et déposa un léger baiser sur son front.

— Parce que, ma chère Calypso, expliqua-t-il, nous partons immédiatement pour Gozo. Votre place est dans la chambre que j'avais spécialement préparée, sur mon île, pour accueillir la compagne de toute mon existence... Je veux être seul avec vous, seul pour notre véritable première nuit.

Tara répondit à son sourire sans protester. Il avait raison. Les heures à venir étaient infiniment précieuses, et elle préférait lui révéler le secret de l'enfant attendu dans la pièce même où celui-ci avait été conçu, avec le bruit de la mer battant contre les rochers...

Ils avaient enfin atteint le havre après la tempête.

Les Prénoms Harlequin

TARA

Prénom d'origine gaélique, il signifie « tour » ou « pic rocheux ». Rien d'étonnant à ce que celle qui le porte possède tout d'une forteresse imprenable ! Fière et impétueuse, elle se lance dans les entreprises les plus hasardeuses sans se poser de questions... Inutile de vouloir modérer ses élans ; son obstination découragerait les meilleures volontés. Mais, même si elles provoquent parfois la consternation de son entourage, son audace et son intégrité n'en constituent pas moins l'un de ses principaux attraits.

Et c'est ainsi que la fougueuse Tara O'Toole se retrouve mariée à un homme qu'elle devrait haïr le plus au monde !

Les Prénoms Harlequin

FEDERICO

fête : 18 juillet   couleur : jaune

Entier et intransigeant, celui qui porte ce prénom n'a rien à envier au bélier, son animal totem. S'il ne tolère aucun compromis dans son existence, il sait en revanche se montrer généreux et indulgent envers autrui. Toujours très entouré, séduisant en dépit de son apparente austérité, il aime la compagnie et recherche les plaisirs mondains tout en demeurant fidèle à un idéal de simplicité.

Le baron Federico Cortes a du mal à comprendre la haine farouche que lui voue sa jeune épouse, et qu'il sait ne pas avoir mérité...

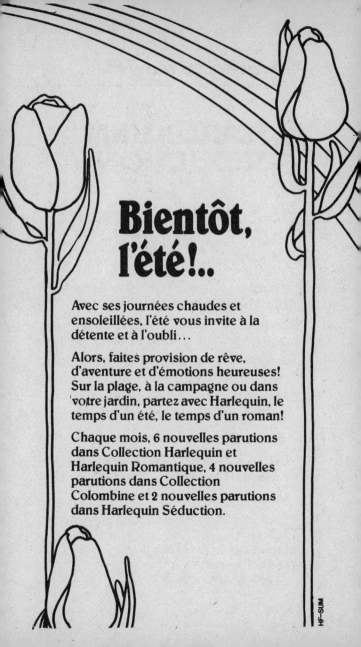

Bientôt, l'été!...

Avec ses journées chaudes et ensoleillées, l'été vous invite à la détente et à l'oubli…

Alors, faites provision de rêve, d'aventure et d'émotions heureuses! Sur la plage, à la campagne ou dans votre jardin, partez avec Harlequin, le temps d'un été, le temps d'un roman!

Chaque mois, 6 nouvelles parutions dans Collection Harlequin et Harlequin Romantique, 4 nouvelles parutions dans Collection Colombine et 2 nouvelles parutions dans Harlequin Séduction.

HF-SUM

Laissez-vous séduire...

HARLEQUIN SEDUCTION

Tout ce que vous attendez d'une grande histoire d'amour!

Excitant... l'action vous tient en haleine jusqu'à la dernière page!

Exotique... l'histoire se déroule dans des pays merveilleux aux charmes innombrables!

Sensuel... l'amour est passionné, le désir incontrôlable!

Moderne... l'héroïne est une femme épanouie, qui a de la personnalité!

Dès maintenant...
2 romans Harlequin Séduction chaque mois.

Ne les manquez pas!

Chez votre dépositaire ou par abonnement.
Ecrivez au
Service des livres Harlequin
649 Ontario Street
Stratford, Ontario N5A 6W2

Collection Harlequin

Les chefs-d'oeuvre du roman d'amour

Recevez chez vous 6 nouveaux livres chaque mois... et les 4 premiers sont GRATUITS!

Associez-vous avec toutes les femmes qui reçoivent chaque mois les romans Harlequin, sans avoir à sortir de chez vous, sans risquer de manquer un seul titre.

Des histoires d'amour écrites pour la femme d'aujourd'hui

C'est une magie toute spéciale qui se dégage de chaque roman Harlequin. Ecrites par des femmes d'aujourd'hui pour les femmes d'aujourd'hui, ces aventures passionnées et passionnantes vous transporteront dans des pays proches ou lointains, vous feront rencontrer des gens qui osent dire "oui" à l'amour.

Que vous lisiez pour vous détendre ou par esprit d'aventure, vous serez chaque fois témoin et complice d'hommes et de femmes qui vivent pleinement leur destin.

Une offre irrésistible!

Recevez, *sans aucune obligation de votre part*, quatre romans Harlequin tout à fait *gratuits!*
Et nous vous enverrons, chaque mois suivant, six nouveaux romans d'amour, au bas prix de $1.75 chacun (soit $10.50 par mois) sans frais de port ou de manutention.
Mais vous ne vous engagez à rien: vous pouvez annuler votre abonnement à tout moment, quel que soit le nombre de volumes que vous aurez achetés. Et, même si vous n'en achetez pas un seul, vous pourrez conserver vos 4 livres gratuits!

Bon d'abonnement

à envoyer à: **COLLECTION HARLEQUIN, Stratford (Ontario) N5A 6W2**

OUI, veuillez m'envoyer *gratuitement* mes quatre romans de la COLLECTION HARLEQUIN. Veuillez aussi prendre note de mon abonnement aux 6 nouveaux romans de la COLLECTION HARLEQUIN que vous publierez chaque mois. Je recevrai tous les mois 6 nouveaux romans d'amour, au bas prix de $1.75 chacun (soit $10.50 par mois), sans frais de port ou de manutention.
Je pourrai annuler mon abonnement à tout moment, quel que soit le nombre de livres que j'aurai achetés. Quoi qu'il arrive, je pourrai garder mes 4 premiers romans de la COLLECTION HARLEQUIN tout à fait GRATUITEMENT, sans aucune obligation.
Cette offre n'est pas valable pour les personnes déjà abonnées.

Nos prix peuvent être modifiés sans préavis.   Offre valable jusqu'au 30 nov. 1983.

366 BPF-3ABD

Nom	(en MAJUSCULES, s.v.p.)	
Adresse		App.
Ville	Prov	Code postal